JN049100

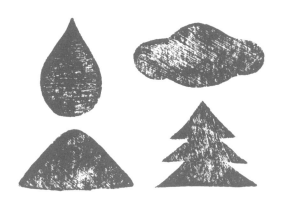

NORTHERN ALPS ART FESTIVAL

北
アルプス
国際芸術祭

2020 - 2021

水・木・土・空

～土地は気配であり、透明度であり、重さなのだ～

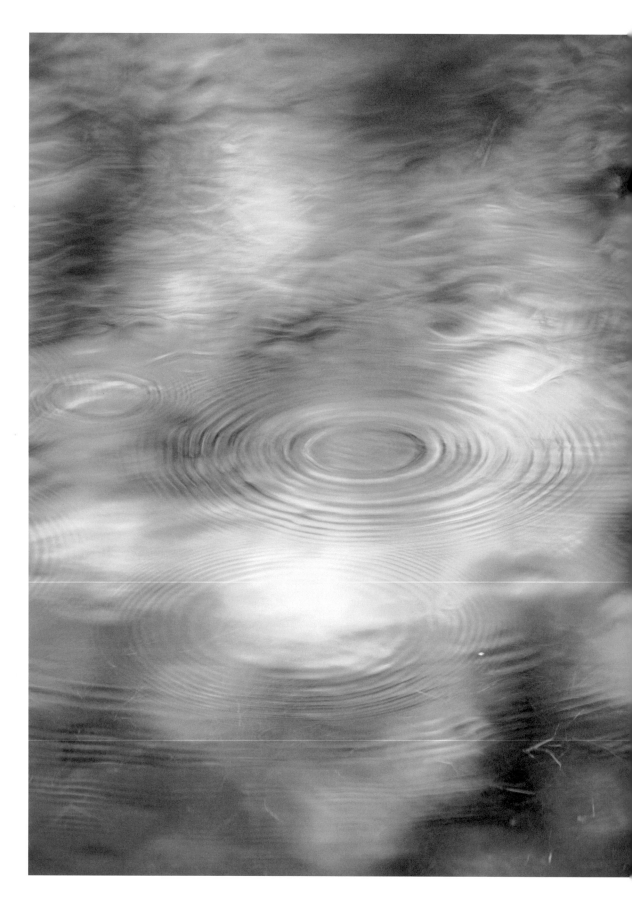

北アルプス国際芸術祭 2020-2021 開催概要

開催地	長野県大町市
開催エリア	市街地エリア、ダムエリア、源流エリア
	仁科三湖エリア、東山エリア
会期	2021 年 8 月 21 日（土）- 11 月 21 日（日）
パフォーマンス会期	8 月 21 日（土）- 10 月 3 日（日）
アート会期	10 月 2 日（土）- 11 月 21 日（日）
主催	北アルプス国際芸術祭実行委員会
名誉実行委員長	阿部守一（長野県知事）
実行委員長	牛越徹（大町市長）
総合ディレクター	北川フラム（アートディレクター）
ビジュアルディレクター	皆川明（デザイナー）
アート作品数	37 点（内パフォーマンス 3 点）
アーティスト	11 の国と地域から 36 組

Northern Alps Art Festival 2020-2021

Venue : Omachi City, Nagano Prefecture, Japan

Performance period : 21st August - 3rd October

Artwork period : 2nd October - 21st November

Organizer : Northern Alps Art Festival executive committee

Honorary Chairman : Abe Shuichi (Governor of Nagano)

Executive Chairman : Ushikoshi Toru (Mayor of Omachi)

General Director : Kitagawa Fram (Art Director)

Visual Director : Minagawa Akira (minä perhonen designer)

Artworks : 37 works (3 performance events included)

Artists : 36 groups and individuals from 11 countries and regions

FOUNTAINHEAD – Rock , River , Origin , Water , Span , Tension , Between – ｜Tom Müller

源泉〈岩、川、起源、水、全長、緊張、間〉｜トム・ミュラー

Everything Connects Beautifully and Returns to the Cycle ｜ Asai Yusuke
すべては美しく繋がり還る ｜ 淺井裕介

Water Surface Landscape | Hirata Goro

水面の風景｜平田五郎

The Journey of Seeds | Kakizaki Chikai

種の旅 | 蠟崎哲

AMAANYI GA NABUGI (Gamukubya akyali muto) | Donald Wasswa

アマーニ・ガ・ナブジ（ガーモクヤ・アチャーリ・モト）| ドナルド・ワッスワ

REFUGIO | Emma Malig

シェルター -山小屋- | エマ・マリグ

Fairytale world | Li Hongbo
童話世界 | リー・ホンボー〈李洪波〉

Mount. New Michael ｜ KOTAKEMAN

New ま、生ケルノ山 ｜ コタケマン

Beauty and Harmony of Nature | Paula Nicho Cúmez

自然の美しさと調和｜ポウラ・ニチョ・クメズ

Lintumaa (Birdland) | Milla Vaahtera
リントゥマー（バードランド）｜ミラ・ヴァーテラ

Water Trip｜Chimura Yohei
Water Trip｜地村洋平

Where the wind crosses ｜ Miyanaga Aiko
風の架かるところ｜宮永愛子

Letter | MUM&GYPSY × minä perhonen
Letter | マームとジプシー×ミナ ペルホネン

Moonlight Faust ｜ Kushida Kazuyoshi

月夜のファウスト - 独り芝居バージョン - ｜串田和美

ELECTRONICOS FANTASTICOS! Electromagnetic Forest Theater｜Wada Ei ＋ Nicos Orchest-Lab
ELECTRONICOS FANTASTICOS! 電磁森林劇場｜和田永＋ Nicos Orchest-Lab

I Came Upon a Book in Omachi | Jimmy Liao

私は大町で一冊の本に出逢った | ジミー・リャオ〈幾米〉

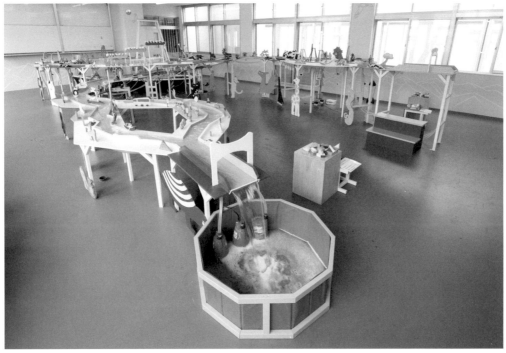

Water and Light | Hongo Tsuyoshi

水と光 | 本郷毅史

The Cristal House ｜ Nicolas Darrot
クリスタルハウス｜ニコラ・ダロ

Wind Direction Undefinable | Isobe Yukihisa

不確かな風向 | 磯辺行久

OMOIDE Drive-In | Asai Shinji
おもいでドライブイン｜淺井真至

Spring of Soil ｜ Asai Yusuke

土の泉 ｜ 淺井裕介

The Ark of the Crystal in Alps │ Sugihara Nobuyuki

アルプスの玻璃の箱舟│杉原信幸

Observatory for Sonkei (Respectable Landscape) | Kikuchi Ryota

尊景のための展望室｜菊地良太

Play with Water "The Theatre of Light" | Kimura Takahito
水をあそぶ「光の劇場」｜木村崇人

OROCHI（Big Snake）│ Fuse Tomoko
OROCHI（大蛇）│布施知子

Take all belongings with you | Ekaterina Muromtseva
全てもって、ゆく｜エカテリーナ・ムロムツェワ

Akinorium in OMACHI ｜ Matsumoto Akinori
アキノリウム in OMACHI ｜ 松本秋則

illuminate me ｜ Manal AlDowayan
私を照らす｜マナル・アルドワイヤン

What has happened / What will happen | Maaria Wirkkala
何が起こって　何が起こるか｜マーリア・ヴィルッカラ

Cultivate the Fields of Heart ｜ Yu Wenfu
心田を耕す｜ヨウ・ウェンフー〈游文富〉

Shinano-Omachi Tangible Landscape ｜ ［mé］

信濃大町実景舎 ｜ 目

Stories of Omachi until Today | Watanabe Noriko
今日までの大町の話｜渡邊のり子

Collusion (or Rupture) | Mochida Atsuko
衝突（あるいは裂け目）| 持田敦子

目次

ごあいさつ

牛越 徹　北アルプス国際芸術祭実行委員長 / 大町市長

　2017年に続き、2021年8月21日に開幕しました北アルプス国際芸術祭2020-2021は、11月21日、無事、閉幕の日を迎えることができました。期間中、多くの皆様にお越しいただきましたことに、心よりお礼申し上げます。

　また、北川フラム総合ディレクターをはじめ、皆川明ビジュアルディレクター、アーティストの皆様、作品設置場所の提供や制作等にご協力いただきました市民や事業者の皆様、そして県内を中心に全国各地からご参加いただきましたボランティアサポーターの皆様、さらには寄附、協賛をいただきました企業の皆様のほか、関係機関・団体の皆様の多大なご支援、ご協力に対しまして、改めて深く感謝申し上げます。

　今回の芸術祭は、かつて経験したことのない、コロナ禍という厳しい環境の下での開催となりました。ここ数年、各地でイベントの中止や延期が相次ぐ中、殊にコロナ禍におけるイベントモデルの先駆けとして、万全の感染症対策を講じた上で開催するため、実行委員会に新型コロナウイルス感染症対策特別部会を設置し、保健所や医師会、感染症指定医療機関である市立大町総合病院の先生方から適切なご助言をいただき、感染防止対策マニュアルを策定するとともに、来場者の皆様には、屋内サイトごとの鑑賞定員の設定などに加え、検温や健康チェックシートの記入などに、積極的にご協力いただきました。幸いにも、会期中にただ一人の感染者も出すことなく開催できましたことに安堵し、深く感謝申し上げます。

　国による緊急事態宣言の解除がアート会期の直前であったことや、渡航制限も解除されない中で、どれだけの皆様にお越しいただけるかなど、気掛かりな課題は数多くありましたが、幕を開けますと約3万3千人を超える多くの来場者が、市内至るところでアート作品を鑑賞しつつ、周囲の街並みや紅葉に彩られた山々などの雄大な自然を満喫されていました。そして、アートサイトでは、来訪された方とスタッフが、互いの役割を超えて笑顔で会話する姿を垣間見るにつけ、芸術祭開催の意義を改めて実感したところです。

　コロナ禍の行動制限により、作品の制作も思うように進められない中、11の国と地域からの36組の多彩なアーティストの皆様の、様々な工夫と努力により準備された作品やパフォーマンスは、前回の第1回とはまた違う、新たな大町の魅力を際立たせるとともに、コロナ禍で停滞する地域に明るい一筋の希望の光を与えてくれました。

　食プロジェクトでは、「地彩レストラン おこひる公堂」での地元食材を活用した松花堂弁当の提供や、市内小中学生が製作したコースターやランチョンマットでの〝おもてなし〟などの取組みが展開されました。芸術祭と連携して様々なイベントを開催するパートナーシップ事業では、市内から参加したイベントだけでなく、市外からも多くの応募をいただき、連携した取組みにいっそう広域的な広がりが見られました。

　セントラルショップに設置したメッセージボードに寄せられた数多くのメッセージからは、こうした様々な〝おもてなし〟が来場者の心にしっかり届いていることを実感することができました。秀逸なアートの素晴らしさと雄大な北アルプス山麓に広がる大町の素晴らしさ、そして何よりも人々のおもてなしの素敵さが、来訪された皆様の中にいつまでも残り続けていくことを確信いたします。

　結びに、芸術祭に関わっていただいたすべての皆様に、改めて深く感謝申し上げますとともに、この芸術祭の開催を新たな契機とし、今後も地域固有の芸術文化に資する新たな魅力の創造や、大町を愛する多くの皆様との交流の機会の創出を通じて、コロナにも決して負けない持続可能な新たなまちづくりを進め、皆様と再びここ大町で相見えますことを心より祈念申し上げ、本書刊行のごあいさつといたします。

Greeting

Ushikoshi Toru Executive Chairman / Mayor of Omachi

Following on from its first edition in 2017, the Northern Alps Art Festival 2020-2021 was held from August 21st to November 21st 2021. We are extremely grateful to the many visitors who attended the festival. We would like to express our sincere appreciation to the General Director Fram Kitagawa, the visual director Akira Minagawa, the participating artists, and citizens and businesses that offered spaces for works to be placed and contributed to production, as well as volunteers from in and out of the prefecture, corporations who offered generous donations, and all related organizations for their enormous support and cooperation.

This edition of the festival was held under unprecedented COVID-19 restrictions. In recent years, events all over the nation have been cancelled or postponed, but we worked towards hosting the festival with all possible measures to prevent COVID-19 infection, to be a pioneer for hosting events during the pandemic. We established a special subcommittee for COVID-19 prevention in the executive committee, which received invaluable advice from health centers, medical associations, and the public hospital – which is designated as a medical institution for infectious diseases – for planning infection prevention manuals. Together with this, we received the cooperation of visitors in observing rules for maintaining maximum numbers of people entering indoor sites, taking temperatures, and keeping health check records. Fortunately, there were no cases of infection during the festival, for which we are very grateful.

The 'Declaration of Emergency' was withdrawn just before the start of the festival, but traveling restrictions were still in place, so we were concerned about the number of visitors we would see, along with potential problems. However, we were able to welcome more than 33,000 visitors, who could enjoy not only the art pieces across the city, but also street views and magnificent nature, such as the mountains covered in fall leaves. At the art sites, visitors and staffs were seen in smiling conversations, transcending the roles of giving information and welcoming, which reassured us of the purpose of holding an art festival.

While the restrictions due to the pandemic were a hurdle for production, 36 individuals and groups of artists from 11 countries and regions prepared their work and performances with great effort and creativity. Their efforts made the charms of Omachi stand out in a different way to the previous festivals, and at the same time provided a light of hope to regions still suffering from the effects of COVID-19.

In the Food Project, various activities were developed, such as Shokado Lunch Boxes, created with locally-produced ingredients, being provided at 'Chisai Restaurant Okohiru Kodo', and omotenashi with coasters and lunch mats made by local schoolchildren. Also, projects that ran in coordination with the festival held many events, including participating enterprises from inside the city and also many applicants from outside, demonstrating the spread of the partnership in a wider area.

From the numerous comments on the message board placed in Central Shop, we feel that our omotenashi has indeed reached our visitors. We believe that the amazing art, the charm of Omachi lying at the foot of the magnificent Northern Alps, and above all the beautiful welcoming spirit of the people will remain in the hearts of those who visited the festival for a long time.

Finally, we would like to extend our sincere gratitude to everyone who took part in the festival, with the hope that the event can be a milestone – a chance to create new charms that support the unique art and culture of the local area, to provide opportunities for communication by those who love Omachi, and to help the development of a city that cannot be defeated by COVID-19. We would like to draw this greeting to a close by expressing our hope to see you all again in Omachi.

芸術祭を終えて　ー海外作家のリモート制作についてー

北川フラム　総合ディレクター

コロナ禍での延期と工夫した中での開催が出来、1人の感染者も出ず、実来場者 33,892 人という観客とおおむねの好意ある評価をいただいたことに感謝しています。それもこれも、さまざまな局面で頑張ってくれたアーチスト、スタッフ、サポーター、好意ある理解者がいたからです。ありがとうございます。ホッとしているのが本音です。

2012 年に最初に伺って以来、清澄でほとばしるほどの水と、それ故の植物相と動物相がナチュラルに浸透しあう豊かな生態系と生活が重なり、魅力ある地域だと思ってきました。それが〈水〉〈木〉〈土〉と謳うテーマのいわれですが、最後の〈空〉は実際、信濃にある生活地から見上げる空は高く、文化的には理想を高く求める傾向があると思っていました。「足はしっかりと大地に、目は遠く世界に」という気持ちを含めたものです。

外国からのアーチストの多くは現地入りが難しいなかで、それぞれ作品を完成させました。その何人かについて、ここで触れておきます。

ウガンダからのドナルド・ワッスワは自国の人口 4500 万人のうちの 75% が 30 年代以下という多子若齢化問題と日本社会の少子高齢化問題を重ねています。来日することは叶いませんでしたが、ウガンダのユネスコ文化遺産に登録されているナブジという樹皮と、地域から集まった 100 を超える味噌や醤油や野菜を漬ける大町の食文化を象徴する樽を材料に迫力ある作品を作りました。その心は、「手に負えなくなる前に、複雑な状況を止める」ということだそうです。出身地の素材と文化とを真剣に重ねた作品でした。

フランスのニコラ・ダロは 2 週間の隔離を経て現地で作品を完成させました。それだけデリケートな作品だったのです。最初の訪問時に糸魚川ー大町間の〈塩の道〉に興味を持ちました。地域創生以来、塩分は水とともに谷底や海に流れ落ち結晶化しました。これが岩塩、塩田になって世界中に輸送されます。人間という生命体の基本構成物質だからです。フランスの小説家スタンダールが〈恋愛論〉の中で恋心を塩の結晶に例えたことを引いたこの作品は、大町の現在の風景をも映しこんだ〈山〉や〈猿〉のバンドが演奏する、土蔵を使った楽しい作品になりました。何から何まで土地に根差した傑作になりました。

グアテマラのポウラ・ニチョ・クメズは 16 世紀の地理上の発見以来、殆ど滅亡させられたマヤ民族や女性の尊厳に敬意を寄せるアーチストです。この地に来て初めて知った雪や寒さ、或いは各集落にある神社から信仰の根強さを知って、その体験が故郷の山と一緒になり、かつてマヤ文明がもつ独特の宇宙観と一緒になって不思議な絵画が成立しました。そこには北アルプス山麓の植物やカモシカやサルなどの生き物が描き込まれ、「母なる自然」が表されています。私たちからの要請は大画面一つだけだったのですが、15 点の新作とともに彼女の故郷を紹介するパネルが展示されました。地球の反対側から来て、異なった歴史を持つ場所を知ったアーチストの、ほとんどが対照的な存在から知り、学んだことの多さは私をとても豊かにしてくれました。

スイス生まれでオーストラリアに住んでいるトム・ミュラーはたびたびの氾濫があった高瀬川に落石し残っている、22m × 10m もある〈仙人岩〉に魅かれ、その力を表すために汲水した新しい水路による滝、岩陰を使った霧を発生させました。これが運用されたのはリモートによる丁寧な打合せと実験のたまものでした。

フランスからやってきたエマ・マリグはチリで軍事政権がクーデターで出来た時に単身でアメリカ・日本へ移住した女性で、その頃から私は知っています。日本で美術作品を作り始め、今やフランスを拠点に活躍しています。そんな彼女が見つけたのは 1960 年代から 2005 年代まで約 45 年間家族でやってきて今は廃業した鉄工所でした。それから新型コロナによるパンデミックが起こりましたが、エマ・マリグは日差しが入ってくる鉄工所に〈シェルター・山小屋〉を作りました。そのシェルターは避難所であるとともに聖なる礼拝堂でもあります。その空間を構成しているのは描かれた大町の山や湖や谷なのです。またそれから流れる音は作家が以前チリ南部の鉄工所で録音してきたものだそうです。世界とアルプスと大町と鉄工所が入れ子構造になっていて、そこにさまざまな土地の時間や生活がさしこみ、交錯しているような空間ができました。

サウジアラビアからやってきたマナル・アルドワイヤンは、常盤地区の田園のなかにひっそりと立つ須沼神明社の前宮（神楽殿）に注目しました。この神社の御祭神は天照大御神、天岩戸に籠ってしまって世界を真暗にし

Reflections after the art festival: remote production by foreign artists

Kitagawa Fram General Director

Although the Northern Alps Art Festival was held under the shadow of COVID-19, after a year of postponement and various efforts, we are extremely grateful that we had 33,892 visitors, warm feedback, and not a single infection case. This is all thanks to the hard work of the artists, staff, and supporters, and everyone who has given their warm understanding. Thank you so much. I am, frankly speaking, quite relieved.

Since my first visit, in 2012, I have always had the image of pure and clear water splashing, sustaining the flora and fauna that naturally grow in the rich ecosystem and overlap with the life of this charming region. That is the origin of the themes of "water", "tree", and "earth". The final theme, "sky", comes from my physical sensation that the sky above Shinano is high, and my impression that the culture of the region tends to seek high ideals. As a result, the theme is incorporated in the sentiment: "feet firmly on the ground, eyes trained afar on the world."

Artists hailing from foreign countries completed their work when it was difficult to visit the site. I will comment on a number of them here.

Donald Wasswa, from Uganda, contrasts the issues of high birth rate and decreasing average age in his nation – with 75% of the population of 45 million under 30 – and the issues of decreasing birth rate and aging population in Japan. He was unable to come to Japan, but he created a powerful piece using Nabugi bark, recognized as a cultural heritage by UNESCO, and over 100 barrels collected in Omachi, symbolic items of the food culture of the area that were used to preserve miso, soy sauce, and pickled vegetables. His theme was to "prevent complicated situations before they get out of hand." This work layered the material of his birthplace and the local culture in a very sincere way.

Nicolas Darrot completed his work on site after two weeks of quarantine. The work was so delicate that this was necessary. On his first visit to Japan, Darrot became interested in the "salt road" between Itoigawa and Omachi. Since the formation of the area, salt from the water has been deposited on the valley or sea floor, and crystalized. These crystals become rock salt or form salt farms, and are shipped all over the world. It is a basic material to construct a human organism. Darrot's artwork, which referenced the French writer Stendhal's comparison of the emotion of love with crystalized salt, from his essay "De l'amour" ("On Love"), was a fun piece, with a band of mountains and monkeys playing music, while projecting views of modern Omachi. It was an excellent work, rooted to the land of Omachi in every way.

Guatemalan artist Paula Nicho Cúmez respects the Maya, who have nearly disappeared since their discovery in the 16th century, and the dignity of women. She encountered the snow and coldness of the Omachi region, along with the strong religious roots exemplified by the shrines in different villages, and fused them with the mountains of her hometown and the ancient Mayan civilization's distinctive view of the universe to create mysterious paintings. In her work, the plants, antelopes, and monkeys of the Northern Alps represent mother nature. Although she originally planned to produce one large-scale painting, the exhibition displayed 15 new pieces together with panels introducing her homeland. Coming from the other side of the earth, she experienced a new place with a completely different history. Discovering and learning from this artist, who is almost the polar opposite of me, was an incredibly rich experience.

Tom Müller was born in Switzerland, and currently lives in Australia. He was attracted to the huge sennin-iwa rock, measuring 10 by 22 meters, which was deposited in Takasegawa, which has experienced several floods, and remains there to this day. In order to communicate the power of this rock, Müller produced a waterfall through a new channel by pumping water, and also produced mist from within the shadow of the rock. The development of this work was the result of many careful remote meetings and experiments.

Emma Malig is someone I have known since she immigrated alone to the US and Japan after the military coup in Chile. She began creating artwork in Japan, and is now based in France. She found an ironworks in Omachi that closed after being run as a family operation for 45 years, from 1960 to 2005. Although the pandemic emerged then, Malig created "REFUGIO" in the ironworks, bathed in natural light. It is a chapel and a shelter, and paintings of the mountains, lakes, and gorges of Omachi occupy the space. The sound played in the installation was recorded by the artist in an ironworks in southern Chile. The world, the Alps, Omachi, and the ironworks are like nested boxes, a space in which time and life in each place interweave.

Manal Al Dowayan of Saudi Arabia was drawn to the maemiya (sacred dance stage) at the Sunuma Shinmeisha shrine that stands silently in the countryside of the Tokiwa area. The enshrined deity of this shrine is Amaterasu, the goddess of light, who closed herself in the Amano-Iwate cave and plunged the world into darkness. Moved by the straw rope on the torii gate

てしまった女神ですね。この前面の一本道にある鳥居の稲藁で出来たしめ縄に感動し、200本を地元の人たちによって作ってもらい、それを日本独特の神社を囲む社寺林のように舞台に吊るすという作品です。その中心には当然地元の松﨑和紙でできた美しい灯りがあります。この背景になっているのはアラビア文化における、知識、真実を意味する光です。この作品は迫力がありました。来日が不可能となったところで作られたチームが面白い。スペインのアシスタント、レバノンの建築家、オーストラリアの照明コンサルタントと日本の制作チームです。2020年の稲刈りのあとの藁の提供、天日干し、氷点下の中でのしめ縄制作と、他民族、多くの人による共同制作というリモート制作の結晶でした。10月2・3日の例大祭では実際にこの中で獅子舞があり、神輿が奉納されたのです。

　マーリア・ヴィルッカラはフィンランドの女性アーチストです。仁科三湖のうち青木湖と木崎湖の中にあり農具川でつながっている小さな中綱湖を舞台に選びました。地震で湖に沈んだ寺の鐘が今でも聞こえるという言い伝えと、湖の西側に続いている〈塩の道〉をキッカケに、あたり一帯を歩くことにより、音や霧を含めた気配をテーマにしています。歩道の脇にはベンチ、1つめの小屋には水が張られていて、壁には天使の絵があり、水面には水の滴りがポツリポツリと落ちてくる。2つめは雪のような塩で満たされています。

　湖には一艘の舟に山から転がり落ちたような黄金の球体がのっていて、田圃あとの池には時折霧がかかる。鐘の音がゴーンゴーンと静かに聞こえてくる。それこそ静寂のなかで全身五感全開でこの地にふれあうというものです。ヴィルッカラは2017年の1回目には森林劇場を使用しましたが、19年秋に来た時にはフィンランドの風景を思い出したと言います。ここでの散策は絵本をめくるように伝説にいろどられた過去と未来への往還でした。

　台湾のヨウ・ウェンフー（游文富）は、八坂地区の公民館を竹で覆うという計画をもっていましたが、コロナ禍で不可能になりました。そこで山の中、瀬替えで生まれた田園跡に、台湾で4色のグラデーションに着色した約50万本の竹ひごを植えるというプロジェクトに変えたものです。〈心田〉というタイトルにあるように、毎年繰り返す過酷な労働への敬意と共感がテーマになっています。よく地元の方、スタッフが頑張ってくれたと感謝するしかない、大変な作業でした。

　ロシアのエカテリーナ・ムロムツェワは新潟県糸魚川市と長野県松本市を結ぶ120kmの川沿いの難道千国街道、別名〈塩の道〉をテーマにしています。その中継点

が大町で、荷の積み替えも行われていました。作品はその道沿いにある盛蓮寺で展開されました。そこでは60kgを越す荷を背負う〈歩荷〉という壮絶な仕事がありました。作家はそこに興味を持ちました。境内の土蔵では〈塩の道〉を歩く人々を写す影のインスタレーション、本堂では住民との交流を通して等身大に描いた〈大切なものを運ぶ人〉の水彩画です。「私たちは皆、人生の荷物（希望、欲望、記憶）を背負って歩いている。その荷物を肩から下ろし、純粋な想いで前進し続けることが出来るだろうか？」が作家のテーマです。作家は地域の人たちとの絵画セッションを通して作品を制作する予定でしたが、それが叶わなくなり、丁寧なビデオメッセージを送り、インタビューで交流しました。「あなたにとって大切なもの」を持ち寄って貰い、背負って歩く姿を撮影するという地元民がモデルの作品を作ったのです。ムロムツェワはもともと〈歩く人〉をテーマにした作品を制作することが多かった作家です。〈歩く〉姿には厳しい現実を生きている普通の人々の普遍的な姿があるのでしょう。この作業は地域の人の共感を呼びました。リモート制作のモデルのように私は思ったのです。

　以上、私は何人かの海外のアーチストが、このコロナ禍でどのような仕事をしたかを述べました。私は、アーチストは現代に生きる人々のそれぞれの生理（好き嫌い、得手不得手、親しみやすさ等）のあらわれを典型的に表現すると思ってきました。このパンデミックのなか、アーチストはそんな生理を持って共感したり、哀しんだり、応援したりしてつながろうとしてきました。パンデミックはある意味では地域環境の激変のなかでの自然、自然的なものの叛乱だと言えるかもしれません。アーチストは過去の失われた記憶や、現代の少数者の弱者の気持ちや、未来に対する少量の予感を的確に表してくれる人々です。今回の北アルプス国際芸術祭も可能な限り海外の、それも日本との縁が少ないアーチストをお招きしました。これも初めに述べたように、「足はしっかりと大地に、目は遠く世界に」と考えているからです。この時代、私たちは土地固有の生活を大切にしつつ、なお地球に住む人間としてつながればよいと思います。アートはその意味で、今述べたように人々をつないでくれました。

　日本在住の作家については紙数が尽きたので触れませんでしたが、素晴らしい作品を作ってくれました。改めて感謝したいと思います。

standing at the entrance, she asked local residents to make 200 of them, which she then hung on the stage as though they were the unique Japanese religious groves surrounding the shrine. In the center, naturally, there was a beautiful light created of locally-produced Matsusaki washi paper. The background of this piece was light, signifying knowledge and truth in Arabic culture. It was a powerful piece. The team she put together when her visit to Japan was cancelled was very interesting: an assistant from Spain, an architect from Lebanon, a lighting consultant from Australia, and a production team from Japan. The process of gathering the rice straw from the 2020 harvest, drying it, and creating rope in sub-zero temperatures was conducted by the cooperation of a multi-ethnic team of many people, the fruit of her remote guidance. During the shrine's regular festival on 2nd and 3rd October, a shishimai dance was actually performed in the work, and a mikoshi was dedicated to the goddess.

Maaria Wirkkala is an artist from Finland. For her stage she chose Lake Nakatsuna of the three lakes of Nishina, connected by the Nogu river, in between Lake Aoki and Lake Kizaki. Based on the legend that the sound of a temple bell that sunk in the lake after an earthquake can still be heard today, and the presence of the "salt road" to the west of the lake, she worked on an atmosphere including sound and mist that you would feel walking around the area. Benches are placed on the side of the pavement, and there are two small sheds. In the first shed you notice a reserve of water, tiles with an angel motif on the wall, and drops falling onto the water surface. The second shed is filled with salt like snow. As though it had rolled down from the mountain, a gold sphere is placed on a boat on the lake, and mist is produced occasionally at a pond that used to be a rice paddy. The deep gong of a bell rings out in the stillness. In this way, the work enables us to connect to the land with all of our senses fully open, in tranquility. Wirkkala used the Forest Theater in the first edition of the festival in 2017, but upon visiting the city in autumn 2019 she said she was reminded of the landscape of Finland. The walk by the lake was a thoroughfare between the past and the future, colored by legend, like moving between the pages of a picture book.

Yu Wenfu, from Taiwan, was initially planning to cover a community center building in the former Yasaka village with bamboo, but was forced to abandon that plan due to COVID-19. He shifted to a new project, to pot about 500,000 bamboo strips that he colored in Taiwan in gradation of four colors. As the title "Field of Heart" suggests, his theme is respect and sympathy for the harsh labor repeated every year. We cannot appreciate the local people and the staff members enough for their roles in this hard project.

Russian artist Ekaterina Muromtseva dealt with the theme of the "salt road" (formally the Chikuni Kaido), a tough 120km route along the river, connecting Itoigawa in Niigata with Matsumoto in Nagano. Omachi was a stopping point along the road, where people changed and replaced loads. Muromtseva's work was developed in Jorenji temple, located by the road. In this temple the incredibly hard job called bokka was conducted, in which people had to carry loads of over 60kg on their backs. This fascinated the artist. An installation showing people's shadows walking on the salt road was exhibited in a warehouse within the shrine, while a life-sized watercolor painting of "people carrying something important" was displayed in the main hall. The artist questions: "We all carry the burdens of life – hopes, lusts, and memories. Can we offload such luggage and keep moving forward with pure souls?"

Muromtseva wanted to hold painting sessions with local residents, but was unable to do so, so she sent a wonderful video message and exchanged with them through interviews. She created work with local people as models, recording their figures as they walked with their important things on their backs. Muromtseva has often produced work with "people walking" as her theme. I feel as though there may be something universal in the way ordinary people walk under life's burdens. The production process appealed to people in the local area, and to my mind was a model case for remote participation.

In this essay I have commented on how some of the foreign artists worked under the conditions of the pandemic. I have always believed that artists typically express how the natures of people in contemporary society surface, in likes and dislikes, strengths and weaknesses, or familiarity. During the pandemic, artists have tried to empathize with these natures, to share sorrow and give support to the people. Perhaps the pandemic can be said to be something like a rebellion of the natural, with its drastic changes to regional environments. Artists are people who poignantly express the lost memories of the past, the emotions of the weak or the minority in the present, and shades of the future. In this edition of the Northern Alps Art Festival, we invited many foreign artists, especially those who are as distant from Japan as possible. That is another example of the sentiment I mentioned earlier: "feet firmly on the ground, eyes trained afar on the world." In our lives we hope to connect with one another as humans who share their time on earth, while continuing our own regional existence. Art, in this sense, is a successful connection of people.

As for the Japan-based artists, I do not have enough space to comment in detail, but they all made incredible works of art. I would like to take this opportunity to once again extend my appreciation.

「芸術と場、芸術と暮らし」

皆川明　ビジュアルディレクター

この度の北アルプス国際芸術祭において、ビジュアルディレクターを北川フラム総合ディレクターからご指名頂き、芸術祭におけるビジュアルについての考察が始まった。開催地である大町市は、北アルプスの山々と川と湖に恵まれ、豊かな水を蓄えた自然と人の共生する場所である。その固有の土地と芸術の接点が人の感性や日々の暮らしに響き合うことが、この芸術祭の大きな目的となり意義でもあると感じていた。参加する芸術家も地球上の様々な文化や営みや歴史を持つ地域から参加していることから、この芸術祭が様々な繋がりを生む可能性を感じていた。芸術と場、芸術と暮らし、それらが交差する中で、私たちは人と芸術との繋がりや意味を体感するのではないかと思う。

そのような芸術と環境の繋がりを現すビジュアルデザインとして、北川フラム氏が掲げるこの芸術祭へのテーマである水（奔流）、木（自然、森）、土（扇状地）、空（アルプスの高い空）をシンプルなシルエットに起こしデザインした。それらは、大町市が自然から恵まれたものであり、そこに暮らす人の営みが地域の社会をつくり循環していることを表している。又、今回はコロナ禍で会期が一年繰り延べられたこともあり、始めに準備した印刷物や情報をできるだけ翌年にも生かそうとすることで、地域へのワークショップの企画へと繋がったりと新たな試みが生まれた。それらの取り組みは、地球規模で取り組まれているSDGsの観点から重要であり、同時に運営費を無駄にせずに有効に使う為にも大切な取り組みとなったことは、多くの協力者と理解者の元、成果があったのではないだろうか。

この北アルプス国際芸術祭のエリアは、その自然や場の特性とアートが融合し関係し合う特徴から、展示範囲が広い地域に渡っていることも一つの特徴となっている。ビジュアル面では、そのことを来場者の皆様にわかりやすくお伝えすることと同時にその地域の特徴や地形を捉えやすくしていきたいと考え、それぞれのエリアを生き物の姿に例えてエリアの輪郭を印象付けて見られるように工夫をした。又、会期中には串田和美氏やマームとジプシーによる演劇の催しがあったことも大きな特徴となり、芸術祭における表現の多様な捉え方や視点を来場者に体感してもらえるよう周知に努めた。ビジュアルディレクターという役割において、次回に向けての反省としては、道路や会場周辺にある作品番号の標識が単調で情報不足があったと反省している。その番号にQRコードなどで詳しい住所や周辺の飲食店情報などがマップアプリなどに紐づけられていたら、より快適なナビゲーションが可能だったと思う。

芸術祭はアートを通じて新たな思考と感情に出会うだけではなく、その環境の美しさや豊かさに気づいたり、その地域に暮らす人との交流によって文化を知ることも大きな喜びとなるはずだ。次回はそのことに想いを馳せて取り組めるように繋げていきたい。今回はコロナ禍という中で来場に対しての不安がある中での開催となったと思うが、自然の中でアートに接することは自然という事象とアートという創造の融合の体験として、とても豊かな心持ちを生むことを実感した。この北アルプス国際芸術祭がその表現の場として今後も在ることを心から願っている。

Art and Place, Art and Life

Minagawa Akira Visual Director

Fram Kitagawa, the general director of the North Alps International Art Festival, has appointed me as the visual director of the festival and I have started to think about the visual aspects of the festival. The city of Omachi, where the festival is held, is blessed with the mountains, rivers and lakes of the North Alps, and is a place where nature and people coexist in harmony, with abundant water reserves. It is a place where people and nature coexist in harmony. The fact that the artists participating in the festival come from all over the world, from regions with different cultures, lifestyles and histories, made us feel that this festival has the potential to create a variety of connections. I believe that in the intersection of art and place, art and life, we can experience the connection and meaning between people and art.

As a visual design to express the connection between art and the environment, we created simple silhouettes of Fram Kitagawa's themes for this festival: water (torrent), trees (nature, forest), earth (fan-shaped land) and sky (high Alpine sky). They represent the fact that Omachi is blessed with nature, and that the activities of the people who live there create the local society and circulation. As the exhibition was postponed for one year due to the Corona disaster, we tried to use as much of the printed material and information we had prepared at the beginning of the exhibition as possible for the following year, which led us to organise workshops for the local community. These efforts were important from the point of view of SDGs, which is being addressed on a global scale, and at the same time they were also important in order to use the operating costs effectively without wasting them.

One of the characteristics of the area of the North Alps International Art Festival is that the exhibition covers a wide area, due to the nature and the characteristics of the place and the relationship between art and nature. In terms of visuals, we wanted to convey this to visitors in a way that was easy to understand, while at the same time making it easier for them to grasp the characteristics and topography of the area. In addition, theatrical performances by Kazumi Kushida and Mame et Gypsy were also an important feature of the festival. In my role as visual director, I would like to reflect on the fact that the numbered signs on the streets and around the venue were monotonous and lacking in information. I think it would have been easier to navigate if the numbers had been linked to a map application with detailed addresses and information on restaurants in the vicinity via QR codes.

Art festivals are not only about encountering new thoughts and feelings through art, but also about discovering the beauty and richness of the environment and the culture of the people who live in the area. Next time I would like to think about this and try to connect with them. This year's festival was held in the midst of the Corona disaster, which may have caused some anxiety among visitors, but we felt that the experience of coming into contact with art in the midst of nature is a very enriching one, as it combines the phenomenon of nature and the creation of art.

I sincerely hope that the North Alps International Art Festival will continue to be a place for such expression.

水－源流

全身の五感を揺らす、
北アルプスの山々からほとばしる
圧倒的な水の奔流。

木－樹木

日本列島を東西に分断するフォッサマグナの
西の縁に位置し、信州と海を結ぶ「塩の道」が走り
東西の地質や植生が出会う、豊かな森。

土－地殻

これらの地盤に、季節風に運ばれた寒流と暖流の
水蒸気が北アルプスにぶつかり、
振り落ちる水と森によってつくられた豊かな土。

空－蒼穹

そして、信濃の人々が
一生仰ぎみる、高い、青い空。
大切な我が地、山を越えれば世界につながる。

信濃大町5つのエリア

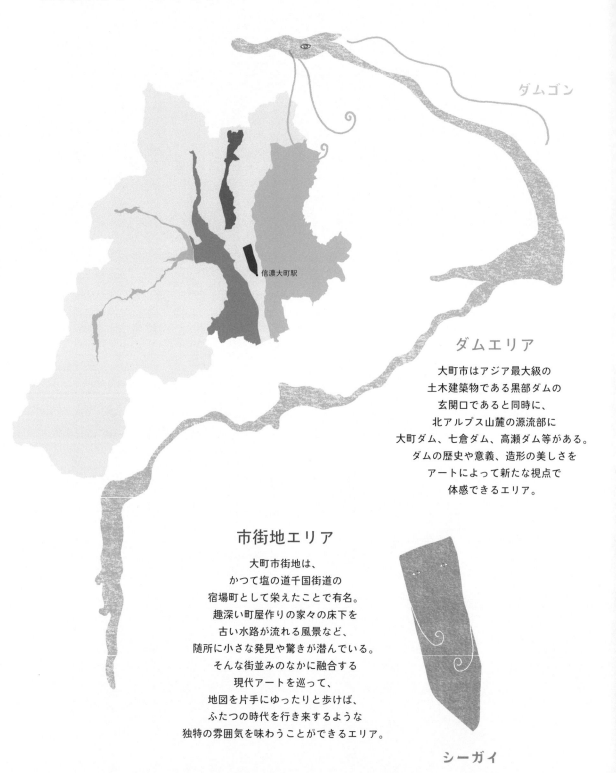

ダムゴン

信濃大町駅

ダムエリア

大町市はアジア最大級の
土木建築物である黒部ダムの
玄関口であると同時に、
北アルプス山麓の源流部に
大町ダム、七倉ダム、高瀬ダム等がある。
ダムの歴史や意義、造形の美しさを
アートによって新たな視点で
体感できるエリア。

市街地エリア

大町市街地は、
かつて塩の道千国街道の
宿場町として栄えたことで有名。
趣深い町屋作りの家々の床下を
古い水路が流れる風景など、
随所に小さな発見や驚きが潜んでいる。
そんな街並みのなかに融合する
現代アートを巡って、
地図を片手にゆったりと歩けば、
ふたつの時代を行き来するような
独特の雰囲気を味わうことができるエリア。

シーガイ

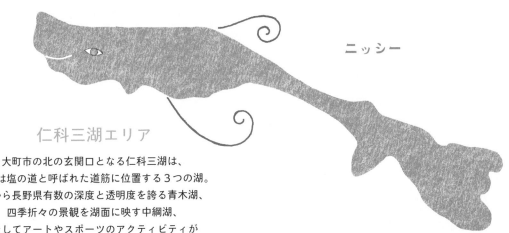

ニッシー

仁科三湖エリア

大町市の北の玄関口となる仁科三湖は、
古くは塩の道と呼ばれた道筋に位置する3つの湖。
北から長野県有数の深度と透明度を誇る青木湖、
四季折々の景観を湖面に映す中綱湖、
そしてアートやスポーツのアクティビティが
豊富な木崎湖が並ぶエリア。

東山エリア

東山エリアの鷹狩山山頂からは、
大町市全域を俯瞰しながら
北アルプス山脈を見上げることができる。
ここから望む信濃大町の中心部は、
西側の北アルプス山脈と、東側に広がる
豊かな里山に囲まれた扇状地（盆地）で、
南北に走る糸魚川静岡構造線という
活断層上にあり、ここを境に東西で
地質や生態系が変化しており、
日本列島の成り立ちを彷彿とさせる。
また、里山の暮らしと風景を
色濃く残す集落が点在しているエリア。

ヒガニャン

源流エリア

源流エリアは、北アルプスの雪解け水が豊かに流れ湧水も
豊富なエリアで、大町市の自然環境を体感する最も特徴的な場所。
また、戦後日本を代表する土木建造物である黒部ダムの玄関口として、
多くの来訪者を歓迎している。
豊かな源流の恵みと、近代土木技術による治水／利水の歴史。
北アルプス山麓の自然と文明が交差するゾーン。

パオン

Jimmy Liao (Taiwan)

ジミー・リャオ〈幾米〉(台湾)

ARTIST

1958年台湾生まれ/在住。台湾のベストセラー絵本作家。色鮮やかなイラストと詩的な物語で人気を集め、パブリックアートなども手がけている。絵本はこれまでに約60作品を発表し、日本をはじめとしたアジアから欧米まで20以上の言語に翻訳されている。

2019 「Jimmy Liao : The Essential and the Invisible」Museo ABC Madrid(スペイン)
2018 「Somtimes Somtimes」淡海ライトレール緑山線(新北市、台湾)
2018 Jimmy Liao 20 周年個展(台北、蘇州、香港、シンセン)
2017 「私は大町で一冊の本に出逢った」北アルプス国際芸術祭 2017(長野)
2015 「Kiss & Goodbye」大地の芸術祭越後妻有アートトリエンナーレ 2015(新潟)

SITE　信濃大町駅前商店街

信濃大町駅から北に延びる中央通りに沿って1.5km続く長い商店街。かつて当地を治めた豪族・仁科氏は鎌倉時代、北アルプスの豊かな水を引き、定期的に「市」を開いて市街地の形成を進めた。今も五日町、八日町、九日町など市の日に由来した地名が残る。江戸時代は「塩の道」の宿場町として栄え、通りの中央には明治時代まで川が流れていた。今もその水は通りの両脇の歩道の下を流れ、町を歩くと随所で水の音を聞くことができる。

COLLABORATORS

協力　共同作業所がんばりやさん
会場デザイン　北野克弥、㈱4Dstudio Nagano
会場施工・制作　㈱大八木建設、㈱アートプランニング
本選定協力　大町市教育長、市立大町図書館
スタンプラリー協力　大町名店街のみなさん
街中図書館協力　塩入家具、各商店街のみなさん
植栽協力　ラ・カスタ ナチュラル ヒーリング ガーデン
台湾側設計協力　紅桃. 好様設計
助成　台湾文化部

市街地エリア

私は大町で一冊の本に出逢った

CONCEPT

本作品は大町中心部の様々な場所で展開されたプロジェクトである。
信濃大町駅では2人の子ども「書童」が旅人を出迎え、中心市街地では誰でも本が借りられる「街中図書館」の新しい木箱が各所に置かれている。来訪者は様々な本と出会いながら、大町名店街にある「Jimmy's Bookhouse がんばりやさん」に訪れる。名店街では2017年に続き2度目のスタンプラリーを実施し、各店舗と一緒に名店街を盛り上げながら、景品としてジミーのオリジナルステッカーを配布した。
2006年に開所した障がい者の就労継続支援のための施設である「がんばりやさん」入所者のためにデザインされた移動販売車は、販売時以外も作業所の前に置かれ、華やかなデザインで目印としての役割も果たした。リニューアルした「Jimmy's Bookhouse がんばりやさん」では、絵本や児童書、世界各国の小説、アート、大町の歴史や北アルプス、障がい者について知る本など様々なジャンルの本が並ぶ。小上がりのスペースで読書を楽しめる他、がんばりやさんの事務所としても活用されているため、地域の人々と触れ合いながら、来訪者も利用しやすい空間となった。
作家は最初に大町を訪れたとき、市民の手で続けられている「街中図書館」に感銘を受けたという。来場者もまた大町市街地を巡り、本を通した様々な「出逢い」を楽しむことができる作品。

DOCUMENT

2017年芸術祭のプロジェクトでは、すべての本を様々な絵柄のブックカバーで覆い、手に取るまでどんな本か分からない仕掛けを作った。
今回も一部の本にはブックカバーがかけられており、街中図書館や「Jimmy's Bookhouse がんばりやさん」の本の中には時々鮮やかなイラストのカバーが紛れ込んでいる。

This book project, located in various places across the Omachi city center, was developed by Jimmy Liao, a picture book author from Taiwan. In front of the railway station, Jimmy has created a set of statues called the "book children". Old books for free browsing can be picked up at the "library in the street". A space is converted into "Jimmy's Bookhouse Ganbariya-san" in collaboration with the welfare workshop Ganbariya-san, which provides employment support for people with disabilities. Furthermore, a colorful food cart that can travel up and down the street is built for the Ganbariya-san, and a stamp rally is held, to establish warm interactions with the local shops and visitors.

Donald Wasswa (Uganda)

ドナルド・ワッスワ（ウガンダ）

ARTIST

1984年ウガンダ生まれ / 在住。「実際の世界と、望んでいる未来の世界 / 夢の国との対比」をテーマに、彫刻的な表現を中心に、絵画、彫刻、家具、インスタレーション、服飾デザインなど多岐に渡る表現を展開する。

2020 「Down in Napak」Afriant Gallery（カンパラ、ウガンダ）
2019 「BISO」ワガドゥグー彫刻国際ビエンナーレ（ブルキナファソ）
2018 「Degenerative Evolution of the living」Absa Art Gallery（ヨハネスブルグ、南アフリカ）
2015 「Strange Encounters」Lokaal 54, Nieuwstraat 54（テルネーゼン、オランダ）
2014 カンパラアートビエンナーレ（ウガンダ）

photo by Tukei Muhumuza Peter

市街地エリア

SITE 日の出町通り いっし・あーとすぺーす

中央通り東側の日の出町通りには、細い路地に昔ながらの居酒屋やスナックが立ち並び、歓楽街の面影を残している。特に1956年から8年半にわたる黒部ダム建設の当時は、土木建設労働者の憩いの場として大変なにぎわいを見せ、けんか横丁と呼ばれていた。その一角にある「いっし・あーとすぺーす」はかつてパチンコ屋だった建物で、現在はコミュニティスペースなどで活用されている。

COLLABORATORS
協力 いっし・あーとすぺーす
素材提供 ㈱ヴァンベール平出、㈱大地、八坂地域づくり協議会、地域住民のみなさん

アマーニ・ガ・ナブジ（ガーモクヤ・アチャーリ・モト）

CONCEPT

作品名にもあるナブジとは、樹木を伐採せず再生させる技術で加工された丈夫で美しいウガンダの樹皮布織物の材料。その制作工程はユネスコの無形文化遺産に登録されており、樹皮が硬くなることから樹皮を利用する際は幼木の段階で収穫されるという。「アマーニ・ガ・ナブジ」とはウガンダで多く話されるガンダ語のことわざで、ナブジの強さの理由は、早い段階で加工されることにあることを示しており、「手に負えなくなる前に、複雑な状況を阻止する」という意味がある。作家は、このことわざを地域の課題解決を目指す本芸術祭と重ね合わせ、ナブジと大町の食文化を象徴する地域の味噌樽や稲の育苗箱を作品の素材に取り入れて、自然の恵みと引き継がれてきた地域の暮らしを表現するインスタレーション作品を発表した。

DOCUMENT

ウガンダ共和国はアフリカ東部の内陸国で、北は南スーダン、東はケニア、南はタンザニア、ルワンダ、西はコンゴ民主共和国と国境を接する。国土の大半は標高900メートルから1500メートルの高原で、ナイル川の始まるビクトリア湖を有し、西部の大地溝帯（グレート・リフト・バレー）があることは、信濃大町との地勢学的な類似性をみつけることができる。しかし、人口は日本の真逆で多子若齢化が問題になっており、人口約4500万人の内75％が30代以下の若年層であることからも、地域の課題解決について作家が独特の視点をもっていることがうかがえる。

食文化を象徴する素材を集めるため、大町で食に関わる木製の道具を募集したところ、100個を超える樽などが集まった。昔は味噌や醤油、野沢菜漬けをつくるために使われていたもので、それらがナブジとコラボレーションする形で、ライトアップされた存在感のあるインスタレーションが展開された。

The "Nabugi" of the title is the name of a textile material made from bark, which utilizes a production process that allows the tree to regenerate, and is recognized as an intangible cultural heritage by UNESCO. "Amaanyi Ga Nabugi" is a Ugandan proverb, meaning "prevent complicated situations before they get out of hand." In this installation, the artist applies this proverb to the festival, which aspires to solve challenges in the region, and combines it with the culinary culture of Omachi, such as miso barrels and rice seedlings. This is a piece that expresses the bliss of nature and the local lifestyle, handed down through generations.

Kakizaki Chikai (Japan)

蠣崎誓（日本）

ARTIST

1979年栃木生まれ / 東京在住。手と指先を使い生きることを目指して、自然や日常にあるちいさなものから作品を作り出す。種や実などの小さな素材を集め、土に還りまた生まれる作品を制作しているほか、ちぎり絵や人形制作、カフェなども行っている。

2019 「あさひ AIR 生まれたて天国」（長野）
2019 「ちいちゃい誓いのちぎり絵展」ツォモリリ文庫（東京）
2019 「無国籍お土産展 ニワコヤ」（東京）
2018 「ちいちゃい誓いの不思議」いな暮らし（東京）
2008 緑のはっぱ「たね」東京西荻窪 FALL（東京）

photo by Hako Hosokawa

SITE　商店街の空き家

中央通り沿いの多くの店舗は、間口が狭く奥に長い地割りを持ち、高密度で連続した町屋建築の特徴を色濃く残している。江戸時代、松本藩の支配下に入った大町は、松本と日本海を結ぶ千国街道「塩の道」の中間地点に位置する荷継町として、人の交流、物流が盛んに行われた。会場となった平屋の離れは、かつて飲み水として使われていた水路の上に建っており、豊かな水と共にあったこの町の暮らしぶりを垣間見ることができる。

COLLABORATORS

協力　栗林家、㈱創舎わちがい
素材・技術協力　信州松崎和紙工業㈲、地域住民のみなさん
solo solo.plantdyeing、信濃大町草木染め研究会
制作協力　地域住民のみなさん
インストーラー　横川玄

市街地エリア

種の旅

CONCEPT

信濃大町の森や、信濃大町の人々によって集められた約200種類の種や植物を使い、自然の色だけで作られた一枚の絨毯のような作品。2019年開催の信濃大町アーティスト・イン・レジデンス事業「信濃大町あさひAIR」で制作した作品「大町絨毯：種はこびのものたち」の姉妹作として生まれた作品。

種や植物が、動物や風や人の手によって運ばれ、集められ、作家の手によって一つの大きな作品となる。展示が終わると種や植物はそれぞれ別の場所へ持ち出され、新たな場所で芽吹き、育っていく。普段見落としてしまう小さなものに目を向け、見つめることの重要さに気づかせてくれる作品。

DOCUMENT

冬の寒い時期から大町各所で素材収集をはじめ、出逢った人々から聞いた話や自然からインスピレーションを得て、作品の構想を深めていった。2019年の「信濃大町あさひAIR」で使用したものも含め、集められた素材は200種類以上にものぼる。また種を固定する接着剤や、籾殻などをさまざまな色に染める素材も含め、作品に使うものは全て大町で調達した土に還る素材を使用している。

種をより分ける作業やひとつひとつを貼り付けていく作業では、多くの地元の人々が関わり、湿度や気温などで変化する作品の会期中メンテナンスにも地元有志が協力した。

会期終了後はそれぞれの種や植物は取り外され、土へ還したり、小包にして希望者へと配布された。

This large-scale piece, created with natural materials, is placed in an old house at the back of the shopping streets. It is spread on the floor as a carpet of seeds, rice, dry flowers, bark, and spices collected by the people of Omachi. After the festival, these seeds and plants will be carried out by human hands, so that they can continue to grow. Small things seen in everyday activities are carried by animals, the wind, or people's hands, and continue circulating. The artwork speaks of the importance of finding and recognizing the small things in ordinary life.

「種の旅」と共に生きるということ

佐藤壮生　信濃大町あさひ AIR キュレーター

本通りから間口の狭い路地に入ると、日だまりの中庭にでる。大町市の至る所に流れる水路を、またぐように建てられた高床式の古い家に、蠟崎誓の「種の旅」は展示された。約200種類の植物の実や種子を素材に、砂絵曼荼羅のような手法で、生命の旅が描かれた色鮮やかな作品だ。

玄関を入ると、棚に飾ってある水晶の上にたんぽぽの綿毛。長い年月をかけて結晶化した水晶で、たんぽぽが儚い一瞬を過ごしているのかと思えたが、よく見ると綿毛はオシロイバナの殻に盛られた土の船に乗っている。動かずにゆっくりと結晶化した水晶と、風に舞う綿毛は対照的な印象をもつけれど、たんぽぽも長い年月をかけて、自らの DNA をつないできたのだと考えると、水晶と綿毛がお互いを認め合っているように感じられた。

この場所で蠟崎誓がはじめて作品を発表したのは、コロナ禍の少し前、信濃大町あさひ AIR で約一カ月の滞在制作をしていた 2019 年の冬。「たねはこびのものたち 大町絨毯」というタイトルで、「風」「土」「水」「火」のエレメントを象徴する生命の形が描かれた。北アルプス国際芸術祭参加作品「種の旅」とも通じる蠟崎の植物絨毯シリーズの原型ともいえる作品だ。

あさひ AIR 滞在期間の前半、蠟崎は毎日のように種を探して歩いていた。その道程で人と出会い、植物の実や種を集めていることを話して、少しずつ協力者が増えていく。地元の人たちが蠟崎と出会うことで、日常生活の中できれいな実を探す視点が人から人へ伝染していく。ご近所づきあいで煮物をお裾分けするように、「子どもをお迎えに行った時に、きれいな赤い実をみつけたから

少し採っておいたよ」と蠟崎の元へ植物の種が集まってくる。仲良くなった地元の協力者と一緒に制作している様子は、昔、年末に集落の女性たちが集まって、お正月の準備をしているようで、そのハレとケの混ざり合う爽やかな状景が心に残っている。

フォッサマグナの西端と中央構造線が交差する長野県の植生は多様性豊かなことで知られており、陸上植物の8割を占める維管束植物（種子植物を含めた、根と茎と葉で構成される植物）が、長野県内で約 3,000 種類が確認されている。この数は日本全体に生育する約 7000 種の4割にあたり、その四分の一、約 2000 種類が今、絶滅危惧種になっているという。

農業の世界では、植物の種の危機はより深刻な状況なのかもしれない。昔の農家は、みんな自家採種していた。採れた作物の中から良い出来のものを選び、それから種を取って翌年に撒く。そうやって人間と共に生きてきた作物たちは、それぞれの地域の風土に合わせて独自に変化し、年月をかけて安定した固定種になった。

しかし、現在スーパーに並ぶ野菜は、その大半がF1（一代雑種）や交配種と呼ばれる種で生育されている。大きさが一定で収量を安定させるために人工的につくられた種で、雑種強勢の原理で一代目だけ揃いの良い生育旺盛な野菜ができるが、自家採種しても翌年は全く異質な野菜しか育たない。つまり、記憶や特性をぎゅっと DNA に詰め込んで、種という形で次の世代へとつないでいく、ということができない。

人の営みも、次世代へと繋いでいくことが難しい状況は似ている。蠟崎の協力者のひとり、松崎和紙の腰原さ

んは、伝統的な方法で楮（こうぞ）から和紙を制作している。大町市の社地域は昔、和紙製造が盛んで一時期は和紙を漉いている家が百軒以上あったが、松崎和紙はその最後の一軒になった。

腰原さんが、このところ全国の和紙職人が相次いで廃業している、と話してくれた。詳しく聞いてみると、数年前までは、多くの和紙職人は、自分達のつくる和紙をつかってくれる人がいるという義理と意地で技術を繋いできたという。そうした人たちにとって、コロナが一つの区切りになってしまったそうだ。

むろん、命の個性の継承である種の危機と、伝統技術の衰亡は違ったものである。しかし、双方ともに、成長を求め、規格化し、効率を求める中で、いつのまにか消えてしまうものであることに変わりはない。だから私には、時代の濁流でふと立ち止まり、小さな世界をみつめる蠟崎が、生命のつなぎ目としての種を、アートを媒介に集めてひとつの絵として私たちの前に提示してくれたことを、種からのメッセージのように感じているのだ。

蠟崎は今回、様々な植物を集めた。農具川に咲いていたあやめの種、道路脇のフェンスに絡まっていた赤い実、リスがかじってエビフライのような形になった松ぼっくり、定種の稲を無農薬自家採種でつないでいく種もみ、地元の人に提供してもらったホーリーバジルの種。それ

ぞれのストーリーが重なりながら、蠟崎の元に集まった約200種類の植物と関わることについて、蠟崎はこんな言葉を残した。

「種は繁殖する為に進化してきました。美味しくなって鳥や動物に食べてもらったり、毛にひっついたりします。人も猫じゃらしみつけて遊んでポイッとしたり、綺麗な植物を手に取り贈ったりもします。植物は動くものたちを利用して別の場所で繁殖します。たんぽぽの綿毛も風にのります。私のやりたいことは繁殖のお手伝いかもしれません。

この絨毯も人と種の関わり方のひとつです。こうして繁殖を手伝うと、もしかしたら種たちは覚えていて、手に取られるように進化することがあるかもしれません。それがお互いの記憶に残ったら地球に生まれて共に生きたことになるのかもしれません。」

小さな種はその一粒一粒が悠久の記憶を宿し、世界の豊かさを背負っている。蠟崎が種を素材に描く世界は、その豊かさと共生する、私たち自身の在り方を示しているのかもしれない。

Nicolas Darrot (France)

ニコラ・ダロ（フランス）

ARTIST

1972年フランス生まれ／在住。彫刻、インスタレーション、プログラミングによって動くオブジェなど、幅広く制作している。科学、歴史、神話、文学などを参照し、演劇や科学者とのコラボレーションも行っている。

2018-2022　大地の芸術祭越後妻有アートトリエンナーレ（新潟）
2017　「A journey to Nantes」Graslin place（ナント、フランス）
2016　「Analog Kingdom」La Maison Rouge, Fondation Antoine de Galbert（パリ、フランス）
2014　「Molecule Eden」Eva Hober Gallery（パリ、フランス）
2009　「Fuzzy Logic」Cueto Project（ニューヨーク、アメリカ）

SITE　商店街の土蔵

土蔵とは、外壁を厚い土壁とし、表面を漆喰で白く塗りこむことで、外側に木部の骨組みを出さない防火建築である。入口や窓の開口部は重厚な土戸による観音扉が納まり、庫内の温度を一定に保っている。大町は塩の道の交易の拠点だったこともあり、今も多くの蔵が残る。会場となった蔵から塩の道ちょうじやの間には、酒造市野屋の酒蔵やかつて麻を集積していた麻倉などがあり、蔵の街歩きが楽しめるエリアとなっている。

COLLABORATORS

協力　㈲市野屋、㈱だいいち、JIO工房
会場施工　㈱大八木建設
素材協力　信州松崎和紙工業㈲
音楽制作　Etienne Charry
インストーラー　本間大悟
助成　アンスティチュ・フランセ

市街地エリア

The Cristal House

クリスタルハウス

CONCEPT

歴史ある「塩の道」をテーマに、大町の自然や生き物、人々の営みを表現したサウンドインスタレーション作品。鑑賞者が蔵の中に入ると、様々な仕掛けがオルゴールのように動き出す。

暗い蔵の中に入ると筒型のオブジェ（Wave Machine）に明かりが灯り、傾きながら波のような音を奏でる。奥へ進むと猿と山たちで構成されるバンド（Mountain Band）が目を覚まし、ユーモラスな動きと表情で演奏を始める。壁から垂れ下がる藍染の和紙（Wind Machine）は、揺れながら風の音を奏で、海岸から山へ、春から夏へといった空間や季節の変化を表現する。また、上下に移動しながら鳥の翼のように開閉するオブジェ（Wing Machine）が壁にドラマチックな影を落とす。そして2階を走る円盤型のマシン（Fish Run）は、回りながら魚や塩を運ぶ人々の姿を映し出している。

水平方向の Fish Run と垂直方向の Wing Machine は時間と空間を表現していると作家は語る。

「海は垂直な経路を通ってゆっくりと蒸発し、地上で結晶化した塩が水平な商業ルート、塩の道を辿っていく。フランス人小説家スタンダールが《恋愛論》の中で、自らの恋心を塩杭に放置された小枝が時間と共に結晶化することに例えているように、〈垂直と水平〉と〈時間と空間〉は深い関係にあるのです。」

DOCUMENT

作家は 2019 年に初めて大町を訪問した際に「塩の道」に興味を持ち、大町ー糸魚川間を車で移動しながら塩の道の旅を体験した。その後フランスで各オブジェを制作したのち、2021 年夏に隔離期間を経て来日し、設置まで完成させた。壁のドローイングは、視察時に見られなかった夏の大町の風景から着想を得て、滞在中に新たに加えられた。

This sound installation expresses the nature and lives of Omachi and its people. The concept was inspired by the "salt road": a commercial path used to carry salt from the Japan Sea to Omachi. When a visitor enters the building, which used to be used as a sake storage warehouse, various elements begin to work, like a gigantic music box. A music band of mountains and monkeys begin to play a piece, written for this work, expressing the artist's experience of staying in the town. This humorous work shares the story of his experience. The drawing on the wall was added during his stay, inspired by the landscape of Omachi in summer, which he had not experienced during his pre-production visit the previous winter.

Asagura Art Lab (Japan)

麻倉美術部（日本）

ARTIST

麻倉を拠点に、大町在住のアーティストや自由業、主婦などが集まり2014年に誕生した麻倉美術部。「楽しい毎日は自分たちでつくる」をモットーに、毎年参加型インスタレーションやワークショップを開催している。

2019　第6回「大町麻倉アンデパンダン展」（長野）
2017　「6月のお顔展・発酵するハレとケ」（長野）
2016　「はやくこいこいお正月展」（長野）
2015　「森のクリスマス・こびとマジック」（長野）
2014　「6月の海・麻倉が海になる」（長野）

SITE　麻倉 Arts&Crafts

元々は江戸末期に建てられた蔵で、当時栽培が盛んであった麻を保管する集積所として使われていた。麻産業衰退後も様々な目的で使われてきたが、2009年に文化と芸術の拠点として活用するために有志で「麻倉プロジェクト」を開始。現在は「麻倉 Arts&Crafts」と「Cafe&Bar 麻倉」の2つの施設として活用されている。「麻倉 Arts&Crafts」では、麻倉美術部をはじめとした地元作家による作品を販売しているほか、様々な展示・ワークショップを行っている。

MEMBERS

大木じゅんこ
せきやはなこ
曽根原香里
田中あずみ
渡部朱美
渡部泰輔

ひみつの森

CONCEPT

信濃大町で暮らしながら「つくること」を夢中になって楽しむ麻倉美術部によって、自然物や身近な素材から生まれた北アルプスの精霊たちがゆっくりと踊りはじめる。日常と非日常の境ってなんだろう。ひみつの入り口はどこにでもある。風が流れ、鳥や虫や獣たちが生き生きと交歓するひみつの森に、だれでも自由に表現できる森ピアノの音が響いている。

DOCUMENT

麻倉美術部では、地域のみんなとつくることの面白さを共有する場所を目指して、アート、クラフト、音楽、演劇とジャンルにこだわらない様々なワークショップを行っている他、だれでも参加可能な麻倉アンデパンダン展を毎年開催している。そんな麻倉美術部に集まった個性豊かなメンバー。

入口で来訪者を出迎えた森の精霊をつくり、山や川や湖での「フィールドワーク＝遊び」で集まる自然物や日常的な段ボールを素材に大きな彫刻であそぶ渡部泰輔。倒れた木々や土から植物が一斉に芽を出すように、土が踊りだすような世界観を示した田中あずみ。どこにも出かけられない、人とも会えない状況で、「誰かに届ける」ことをテーマにタンポポの銀河をかけた渡部朱美。森の奥にある、いろんな命の生まれるひみつのへそを造形した曽根原香里。森の素材で巣をつくる鳥のように、葉っぱの蛾や森のクラゲをひみつの森に隠したせきやはなこ。山や森に行ってわけてもらってきた素材を全部混ぜて編んでくっつけることで、自然と仲良くなるという大木じゅんこ。

そして9月には、麻倉美術部の作品と一緒に展示するためのワークショップを開催し、地域住民も参加。美麻の土に新聞紙を練りこんだ粘土を使って、参加者それぞれが自由に思い浮かべる「生きもの」や「精霊」を作り、会期中「ひみつの森」に現れた。

A project developed by Asagura Art Lab, based in Asagura Arts & Crafts, which is in a renovated linen storage warehouse. Six members of this lab, who work to promote the fun to be found in making art, created "Secret Forest", a world of Northern Alps spirits, using natural and familiar materials. In the entrance there is a huge Asagura spirit, and in the center of the upper floor there is the figure of a girl who wandered into the woods – the various plants and animals that surround her can be seen, alongside many small spirits made by visitors who took part in workshops. The "Forest Piano" in the venue is there for anyone to play and enjoy music.

Chimura Yohei (Japan)

地村洋平 (日本)

ARTIST

1984 年千葉生まれ / 在住。金属鋳造やガラス造形技法を学び、その技法をプラスチックなど他の素材にも発展させた作品を制作する。工芸の技法や発想に基づきながらも、彫刻やインスタレーション、パフォーマンスなど、現代美術としての多様な表現へと展開している。

2022 「Ai mi Tagai London / Tokyo 2022」White Conduit Projects（ロンドン、イギリス）
2019 「≠世界」千葉市文化センター（千葉）
2018 Milano Design Week 2018「RESONANCE MATERIALS PROJECT」（ミラノ、イタリア）
2017 藝「大」コレクション展「パンドラの箱が開いた！」東京芸術大学大学美術館（東京）
2015 「Inner Space : 思い出せない帰り道」GALLERYAN ASUKAYAMA（東京）

SITE　商店街の空き店舗

戦後日本の高度成長を支えた電源開発により、大町には 1950 年代に始まる黒部ダム建設、それに続く高瀬・七倉・大町ダムの建設の拠点が置かれた。黒部ダムの総工費は 513 億円、労働者約 1000 万人といわれ、人とお金が流れた昭和後期の大町は活気に溢れていた。洒落た喫茶店や映画館があり、会場の雑居ビルの隣には昭和 56 年から平成 11 年まで「カネマン・ジャスコ大町ショッピングセンター」があり、町の賑わいの中心だった。

COLLABORATORS

協力　㈲エヌ・エー・プランニング、塩入洋服店
会場整備　㈲フリハタ家電
㈱伊藤組、光住設、㈲山田商会
制作サポート　濵田敬史、小松実紀
野田紘、夏目綾、いぬうな

市街地エリア

Water Trip

CONCEPT

作家が初めて信濃大町を視察した頃には曇りや雨の日が多く、雲や霧で北アルプスの山々が見えないなかで、水や大気、蒸発といったイメージが大町の印象として残ったという。そして、海水が蒸発して雲になり、冷えて雨として地上を流れて海へ戻っていく、という水の循環における「熱」に注目した。

作家は熱を加えることで流体のように状態変化するガラスやプラスチック素材を得意とし、各地で繊細で幻想的なインスタレーションを行ってきた。北アルプスからの圧倒的な雪解け水と豊かな自然が残る信濃大町を舞台に制作したインスタレーション作品では、古代から続く大きな枠組みで人間が自然環境に対して与えている影響について思索するように、来場者は空間に設けられた通路を自由に行き来し、雨や霧がたちこめるような作品空間を体感できる。

DOCUMENT

地球上の水は、太陽の熱で海や陸から蒸発し、蒸気となって空へ上る。天空で蒸気は冷やされ、小さな水の粒子（雨粒）が集まって雲が生まれる。やがて雲の中で小さな雨粒が次第に大きくなり、雨や雪となって地上に降り注ぐ。そして、降った雨や雪は川や地下を流れ、再び海へ戻っていく。作家はこの水の循環における熱の役割、そしてろ過装置としての北アルプスに注目した。

ガラス工芸の代表的な吹きガラスの工法では、熱を加えてガラス素材を流体化した状態で、重力、表面張力、遠心力などを利用し、素材に直接触らずに形を導いていく。本作の素材となったプラスチックの形もまた、熱による表面張力で凹凸やしわをつけていくことを通して導き出された。会場の奥に配置されたインスタレーションは、山脈の天地を反転させた形状で、熱によって導き出された凹凸が水脈のようにより集り、展示されていたガラスの球体に、一滴ずつ水を届けている。

When Chimura visited Omachi for the first time, he experienced many cloudy or rainy days. While he was unable to see the mountain range of the Northern Alps due to the clouds and fog, he got a strong impression of Omachi with images of water, air, and evaporation. He was interested in 'heat' in the water cycle, as sea water evaporates to become clouds, and is then cooled to fall as rain, which runs on the ground and returns to the sea, or sinks through mountains that act like a filter. Using the characteristic that glass and plastic change form under heat and become like a fluid as his means of expression, Chimura produced a special work with this fluid gathered like a water course, delivering it to a glass sphere drop by drop, creating the impression of rain or mist.

Hongo Tsuyoshi (Japan)

本郷毅史（日本）

ARTIST

1977 年静岡生まれ / 大町在住。写真家。生命の源であり、生活の原点でもある水源域の撮影を通じて、人間と自然の関係を探る。2016 年から大町市木崎湖畔でお米を育てはじめ、2020 年から本格的に就農。「水辺農園」を営みながら、写真家としての活動も行っている。

2019　「水源光」in-kyo（福島）
2017　「水源域・福島」hako gallery（東京）
2014-2016　はま・なか・あいづ文化連携プロジェクト　福島県立博物館（福島）
2010-2016　信濃の国 原始感覚美術祭（長野）
2005　「喜望峰から自転車で帰る」慶応 SFC 卒業制作展　横浜赤レンガ倉庫（神奈川）

SITE　市街地の土蔵

今回会場となった蔵の裏手では、2 つの水源の水がまちなかに流入する水路の交差点を見ることができる。3000m 級の山々に降った雨と雪はゆっくり地下に浸透し、川となって里に流れ出す。この地の先人たちは縦横に用水路を築き、稲作や生活に必要な水を町の隅々まで分配していた。市街地では、北アルプスから引いた水は生活用水として中央通りの真ん中を流れ、居谷里水源の湧き水はそれぞれの屋敷の中を通り飲み水に使われていた。

COLLABORATORS

協力　佐藤家
蔵内荷物整理　大町市文化財センター
会場施工　㈲柏原建設
会場設備　北澤電気工事店

市街地エリア

水と光

CONCEPT

私たちの生きているすべての瞬間に、思考と感情と行動のすべての背景で、水は山の奥深くから湧き出し流れ続けている。そして水源域を流れる水は、やがて私たちになる。誰に知られることもなく湧き出している水は、私たちの命そのものである。

稲は光と水を求めて、発芽する。そして、降り注いだ太陽の光が、山からの水と、微生物がいる土と、吹き抜ける風と、そして私たちの手をいくらかいれることで、お米になる。お米の一粒一粒は、太陽の光が結晶したもの。収穫したお米という光を食べて、また体を動かし、私たちは稲を育てる。

水源域の光景は、自然と人間を臍の緒のように繋いでいる。お米が発芽する様子は、私たちが本当は誰なのかを静かに語っている。大町の水源域の写真や映像、そしてお米の発芽している写真の展示を通して、この地に住む人々と訪れる人々が、水と光の光景自体が喜びであり、祝福であることを静かに感じられる空間を顕現させた。

DOCUMENT

鍵が紛失しており、持ち主が遠方に住んでいることもあって、約40年以上使われていなかった市街地の土蔵。類似する土蔵用の鍵などを試したが扉を開けることができず、最終的に錠前を壊すことになった。土蔵の中には民芸品や百姓道具、着物や古い書物、100年以上前の大町が記録されている写真アルバムなどが眠っており、それらを整理したのち、作家は床だけでなく、壁や天井を隅から隅まで水拭きし、展示会場として活用した。1階には作家自身が無農薬で米作りを行う水辺農園での稲作風景や、ミクロな視点で発芽する瞬間の米の写真を展示。2階には作家のライフワークである水源域の写真と映像が展示された。

This is a group of photographic works by the artist, whose lifework is shooting water sources, alongside being a farmer committed to organic production of rice. On the first floor, photographs of his own rice farming are displayed, while on the upper floor are photographs of water sources. Water always emerges from springs deep in the mountains, and never ceases to flow. Ears of rice become the rice we eat under the influence of water from the mountains, sunlight, bacteria-rich soil, the wind through the fields, and work done by human hands. The artist harvests his rice, eats it, and fuels his body to continue producing. Through the exhibition of these photographs, his work becomes something that conveys they way that people living in the area, and visitors, feel that the landscape with water and light is a joy and blessing in itself.

いのちを分配する誠の心

佐伯剛　風の旅人　編集長

　本郷毅史さんは、数年前から木崎湖畔で米作りを行い、それを生活の糧にしている。無農薬で、雑草も手で抜き取り、天日干しを行うという昔ながらの方法で。

　太陽の下、土の上、そして水辺で仕事がしたいという長年の強い思いを実現させるため、彼は、一歩一歩、着実に歩んできた。

　本郷さんの活動を紹介するwebsiteを見た時、木崎湖畔で行っている育苗の写真があり、最初はそれが彼のインスタレーション作品だと思ったほど十分に美しく、観る者を触発する何かを発していた。

　北アルプス国際芸術祭における実際の彼の作品は、古い蔵を展示スペースにした一連の写真作品であり、そこには、彼が撮り続けてきた水源域の写真と、彼が育てている田んぼの写真や、開花時間は2時間程という稲の花と稲の発芽プロセスの拡大写真などが展示されている。

　先入観を持たずにそれらの写真を見つめ続けていた時、"みなもと"という言葉が、私の脳裏に浮かび上がってきた。

　作品テーマは「水と光」だが、水と光は生命のみなもとだから、本郷さんは、かつて自転車でアフリカの希望峰から日本に向けた4.5万キロに及ぶ旅をしていた時から現在の米作りまで、ひたすら"みなもと"を求める旅を続けているのだと感じした。

　彼の場合、写真それ自体がアート作品というより、育てている田んぼを含めた活動全体が彼の表現であり、今ではほとんど見られなくなった稲の天日干しなどは、育苗の光景とともに、インスタレーションとして観る者を十分に魅了する力がある。彼は、その"いのちの営み"

　を、素直な気持ちで記録している。彼が長年撮影し続けている水源域もまた、人間の余計な手が加わっていないからこそ人間の心の深いところに伝わってくる何かがある。日本の伝統的な芸術には、そうした「自ずから然（しか）らしむ」ものが尊重されていた。

　人間の作為というものは、むしろ個性を消す。なぜなら、作為のもとになっている人間意識は、社会の風潮とつながりやすい性質があるからだ。

　それに対して、人間の力を超えたものに真摯に向き合おうとすると、答えのない問いを繰り返すほかなく、その問いに応じて自分の営みを整えていくこととなり、自ずから自分自身と向き合い続け、結果として自分の個性が生じることになる。そのように自らの頭と身体を使い精魂がこめられた人間活動は、それに触れる人間を必然的に哲学へと導く。

　哲学とは、自らが依って立つところに深く思いを巡らせることである。

　本郷さんは、育苗によって発芽させた稲の小さな芽を田んぼで育て、10月の脱穀を終えるまでの半年間は、ずっと気にかけて過ごすことになる。天気の心配をし、稲の生育の心配をし、水や土や草や虫や病気の心配をし、その都度よく観察して、対処していくことになる。

　自分のこと以上に気にかけて、観察して、祈るような思いで対処していくことは、敬虔と愛情の反映である。だから、その過程を素直に記録する写真作品もまた、自分の力を超えたものへの敬虔と、米への愛情が裏打ちされたものとなる。

　無事に育ってくれること。毎年それしか願っていない

という彼は、非常に満たされた顔をしている。彼は、太陽の下、土の上、そして水辺で仕事がしたいという願いに従って生きてきた報いとして、天の恵みに感謝する心と愛情を注ぐ対象を持つことの幸福を得ることになった。それは、コンクリートジャングルの中をさ迷いながら、誰かに認められ共感されることばかりを切望し、愛されることに飢えた生き方と真逆である。

いのちの〝みなもと〟に触れ続けていれば、おそらく人間は、自分のことに限定した自意識の呪縛から解放されるのではないか？　そして、その解放こそ、人間にとって真の意味での救いではないか。

本来のアートは、そうした、普遍の領域にアクセスする力を備えていた。

価値観が錯綜とする現代社会であるが、それぞれの国の風土が影響を与えている人間の根幹は、過去と比べてそんなに大きく違ってはいないはずだ。

本郷さんが心血を注いで育てた米のおいしさは、私自身に対して、朝食を、パンから納豆ご飯と味噌汁に変えようと決心させる力があった。

深い愛情と、自分の力を超えたものへの敬虔さが反映された人間行為には、自らが依って立つ原点へと回帰させる力があるが、その力を失った人間行為は、アートと称するパフォーマンスも含めて、おしなべて現代社会に溢れる消費財である。

本郷さんが撮った稲の発芽プロセスの写真と向き合っていると、米を消費するという概念は相応しくなく、米は賜るものであると素直に実感されるだろう。

アートの本質もまた、決して自己都合的な作為ではなく、賜るいのちを分配する敬虔な作法であり、その原動力は、いつわりなく命と向き合う誠の心に育まれていく。

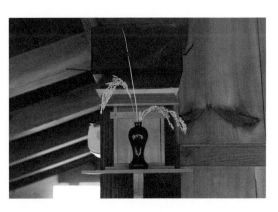

旧大町北高等学校

旧長野県大町北高等学校は明治45年に創立し、この地の女子教育の中心的な存在であった。昭和20年代後半に通学していた倉科さんいわく、「校舎2階西側の廊下の窓から校庭の白樺や蓮華岳、爺ヶ岳、鹿島槍ヶ岳の連なりが一望でき、生徒たちは部活や文化祭や運動会、木崎湖清遊といったイベントを楽しんでいた」という。現・長野県大町岳陽高等学校に統廃合され、2016年に廃校になった旧長野県大町北高等学校がアートサイトとしてよみがえった。

COLLABORATORS

協力　長野県教育委員会
共用部デザイン　㈱4D Studio Nagano
共用部施工　㈱胡桃澤組
会場設備　北澤電気工事店

市街地エリア

ARTIST 原倫太郎＋原游（日本）

[原倫太郎] 1973 年 神奈川生まれ / 在住。「変換」をテーマにデジタルなエレメントをアナログ的手法で作品を制作。[原游] 1976 年 東京生まれ / 神奈川在住。画布、木枠、色層などの絵画のコードをテーマにした絵画を制作。絵画の可能性を探求し、幾つかのシリーズを展開する。

2022 「北越雪譜アドベンチャー」越後妻有里山現代美術館 MonET（新潟）
2019-2022 「ピンポン・シー」瀬戸内国際芸術祭（女木島、香川）
2017 「はじまりの庭」「たゆたゆの家」北アルプス国際芸術祭 2017（長野）
2016 「文化庁メディア芸術祭青森展　まぼろし村と、あなたとわたし」青森県立美術館（青森）
2015 「ファンタスマゴリアー千葉をうつす影ー」（原倫太郎 + 原游 with WiCAN）千葉市美術館プロジェクトルーム（千葉）

ARTIST ポウラ・ニチョ・クメズ（グアテマラ）

1955 年グアテマラ出身 / 在住。マヤアーティスト。作家の世界観を色濃く映し出した作品からは、マヤ文化固有の宇宙に関する考え方と現実との関係性、多様な文化に対するメッセージを受け取ることができる。

2019 City Collage of San FranciscoLibrary（アメリカ）
2018 個展　Palace of the Captains（グアテマラ）
2017 「Visions and Stories Exhibition」NIU Art Museum（アメリカ）
2005 Alejandro Von Humboldt Association. Vicenta Laparra de la Cerda Cultural Association（グアテマラ）
2004 Smithsonian National Museum of the American Indian（ワシントン、アメリカ）

ARTIST 渡邊のり子（日本）

1988 年千葉生まれ / 東京在住。劇団「百景社」に舞台美術として参加。5cm 四方の箱の中に身近な小物を組み合わせた作品をつくり、さらに作品タイトルをつけることで非日常的な独特の世界を作ることを目指している。

2020 渡邊のり子の滞在制作とちょっと展示「箱のある 1 日」あおば荘（東京）
2019 ワークショップ「自分だけの久慈浜ワールドを作ろう！」アートビーチくじはま（茨城）
2019 「机の上の放浪日誌」トタン（東京）
2018 「長い旅行の断面図」がばんクリエイティブルーム・城藤茶店（茨城）
2011 筑波大学卒業制作展出品 / つくば美術館（茨城）＊筑波大学芸術専門学群長賞受賞

photo by Suzuki Yoshiaki

ARTIST 布施知子（日本）

1951 年新潟生まれ / 大町在住。折り紙作家。パーツを組み合わせてつくる「ユニット折り」の第一人者。工業製品も手掛け、著書が多言語に翻訳されるなど、国内外で活躍している。

2021 「折り紙、その向こうへ」中村屋サロン美術館アーティストリレー（東京）
2019 「Origami Installation」Tikotin Museum（ハイファ、イスラエル）
2018 「Paper & Light」ミラノデザインウイークで Denis Guidone とコラボ（ミラノ、イタリア）
2017 「無限折りによる枯山水 鷹狩」北アルプス国際芸術祭 2017（長野）
2016 「紙と折りのリズム」安曇野豊科近代美術館（長野）

Hara Rintaro + Hara Yu (Japan)
原倫太郎＋原游 (日本)

Water Land —Little Town Omachi
ウォーターランド　〜小さな大町〜

CONCEPT

信濃大町の大自然、四季、動物、建物、人々の生活、伝承等をミニチュア化し、「フィクショナルな小さな大町」をコンセプトとした体験型インスタレーション。元は家庭科調理室として使われていた教室に、川を走らせ水の回廊を作り出した。川の周りには山々、森、噴水、滝、船、水車、建物が並び、作品全体が架空の信濃大町の風景となる。さらに水のからくり装置によって様々な仕掛けも施され、来場者は川に小さな船を流して楽しみながら小さな大町を体験できる。かつて多くの文明が大河の周辺から生まれたように、この作品では小さな川を起点として、楽しいアートの世界が膨らんでいく。

DOCUMENT

2017年芸術祭で、インフォメーションと商店街の2カ所に作品を展開した作家が、今回は廃校になった旧大町北高等学校内、昔家庭科の授業で使われていた調理室を利用し、再び大人も子どももいきいきと楽しめる作品を制作。元々あった一台一台の調理台を搬出し、代わりになったのは、大町の豊かな大自然に魅了された作家が作り出した遊べる水の回廊。水路の横に、山々や森以外に、信濃大町の駅舎、食堂、土蔵、博物館から、雷鳥、サル、スキー客、登山客まで、大町の特色を表す小さい彫刻が点在した。
一方、作品とともに全体空間も一緒に作りあげようと、周りの床、壁面と棚も改めて塗装し、さらに壁には大町を囲む山脈のドローイングが描かれた。水路の音を聞きながら、船を手に取り水路に流すと、船とともに自分も大町を一周するような体験が生まれた。
作品のほかに本来、調理室というところから、作家がお菓子屋とコラボして、カフェを併設する計画もあったが、残念ながらコロナの影響で断念することとなった。

COLLABORATORS

会場設備　日特工業㈱
素材提供　村井家

This interactive installation work by the art unit of Hara Rintaro and Hara Yu features miniaturized nature, seasons, animals, and architecture, along with lives and traditions of the people of Shinano-Omachi. Utilizing a former home economics and cooking classroom they created a water corridor with the concept of a "little fictional Omachi." Visitors can float a tiny boat on this river to experience this Little Omachi. Like many civilizations born around large rivers, the fun art world originating in the small river is growing.

Paula Nicho Cúmez (Guatemala)

ポウラ・ニチョ・クメズ (グアテマラ)

Beauty and Harmony of Nature

自然の美しさと調和

CONCEPT

マヤ文化の伝統を尊重しながらも、独自の線描によって伝統的な絵画とは一線を画し、音楽、動き、言葉、色を通じて自然と交感しているかのような作品。「自然は母のようである」と語る作家が、信濃大町に訪れた際に感じた風景 - 風の流れとともに踊る水、北アルプスにささやく風と雪、花と畑を愛撫する露、生命を祝福する動物 - を壁画にした最新作を含めて、15点が展示された。作家はマヤ文化の伝統を現代に伝えるガーディアンであり、作品を通じて女性やマヤの人々が尊敬を持って扱われるべきであるという信念を表明している。また、作品に内在するメッセージには、マヤ文明固有の宇宙観や、人間と現実との関係を内包している。

DOCUMENT

旧大町北高等学校内の視聴覚室をリノベーションし、グアテマラ出身のマヤアーティストによる絵画の展覧会。グアテマラには紀元前からマヤ系先住民が生活しており、建築、数学、天文学を中心に高度な文明を築いていた。その宇宙観は、天を13階層、地上を9階層に見立てて、大地は四つの神で支えられているという。作家の活動はマヤ文明固有の宇宙観を内包しながら、自らの夢からインスパイアされた心象風景も取り入れ、本作では北アルプスの山々が人の顔として描かれている。

2019年の初冬に信濃大町を訪れた作家は、それまでの人生で見たことがない雪や寒さを体感して、まるで別世界に来たような感覚になったという。そして、信濃大町の各地区にある神社を訪れ、信仰が地域の暮らしに根付いていることを強く感じたと同時に、自然の豊かさや厳しさにとても驚いたと語った。2020年に再訪して信濃大町の絵を描く計画をしていたが、コロナ禍の影響で断念。信濃大町で見た山々をメインのモチーフに、植物などの自然や、グアテマラにはいないカモシカやサルなどの動物、そして人々の生活風景を取り込んで、北アルプス山麓に広がるパノラマを描いた絵画作品を発表した。

In the renovated auditorium of the former Omachi Kita High School, the Mayan-Guatemalan artist held a painting exhibition. While incorporating her unique view of the universe in Mayan civilization, and the relationship between humans and reality, Nicho Cúmez's painting is distinguished by its characteristic line-drawing. She produces work that seems to be in exchange with nature through music, movement, speech and color. The artist, who sees nature as a kind of mother, painted the landscapes she experienced when visiting Shinano-Omachi – water dancing in the wind, wind and snow whispering to the Northern Alps, dew touching the flowers and fields, animals celebrating new life – into a new mural, displayed alongside 14 other works.

COLLABORATORS

会場デザイン ㈱4D Studio Nagano
会場施工 ㈱早川組
額装 マルオカ工業㈱、㈱アート・コア マエダ
キャンバス張り 松下友紀

グアテマラで描かれた信濃大町

ポウラ・ニチョ・クメズが信濃大町の自然を想って描いた絵画作品

牧師

2016　H61 x W81cm　キャンバスに油彩

この作品はグアテマラの先住民族の農村生活を表しています。彼らはこの土地で働き、生産し、生活しています。生き続けるために自然を守っています。

動物相のハーモニー

2020　H41 x W51cm　キャンバスにアクリル

動物は私たちの兄弟であり、私たちが破壊している土地のお世話をしてくれている存在だと感じています。だからこそ動物たちとの調和は、自然を守り、母なる地球に敬意を払って生きていくことを私たちに呼びかけているのだと思います。

モンキーコンサート

2021　H81 x W61cm　キャンバスに油彩

マリンバは私の文化では自然を象徴する楽器で、ジャガーの形をしています。動物たちはそれを聴いて、メロディーに合わせて踊ります。

リリース

2021　H81 x W61cm　キャンバスに油彩

国境には歴史的闘争が付きものです。しかし、私たちを解放する時や空間、言葉や運動というものも確かに存在します。私たちの解放のプロセスは、つねに故郷である地球とともにあります。

大町ファンタジー

2021　H81 x W61cm　キャンバスに油彩

凧と風船は、私たちの文化全般を表し、どちらも天国を探求するという意味を持っており、また空を飛びたいという願望を反映しています。鳥のように空を漂い、鏡のように私たちを映し出します。

2021 年 春

2021　H61 x W81.5cm　キャンバスに油彩

私たちの母なる自然は、世界の至る所で私たちと花や動物と共生しています。私たちの命を味や色や調和で満たしてくれます。つまり自然は私たちに寄り添っています。そして人間は自然と共存し、自然に配慮し、自然は私たちに生命を与えてくれます。2021年春、私の心に桜が咲いて、美しい大町を思い出しました。私のふるさとの代表的なジャカランダも咲きました。どちらも季節と一緒にやって来る木です。この作品「2021年春」で、この気持ちを共有したいと思います。「北アルプス芸術祭 2020-2021」は、私のアーティストとしてのキャリアにとって、非常に重要なマイルストーンです。

大町の思い出

2020　H41 x W51cm　キャンバスにアクリル

大町を訪れたことは忘れられない夢のようでした。美しく、魅惑的で、幻想的な場所。私は大町のことが心に強く残っています。穏やかで、カラフルで、美しいエネルギーを持った大町を思い出すと、たくさんの調和を感じます。

Watanabe Noriko (Japan)
渡邊のり子 (日本)

Stories of Omachi until Today
今日までの大町の話

CONCEPT

5cm 四方の箱の中に小さな世界を作り続けている作家。身近な小さい素材を集めて組み合わせ、詩的なタイトルを添えることによって独自の世界観を創造した作品。

今回の作品では、大町に暮らす人々の記憶やまちの歴史を小さな箱のなかに表現。作家自身が制作した作品のほか、ワークショップで市民や来場者が制作した作品も合わせて展示した。それぞれの手作業を通して、大町での体験と記憶を外まで広げようとし、箱を覗いた鑑賞者たちを記憶の旅に誘う。

DOCUMENT

旧大町北高等学校内の書庫だったところに、今回は本ではないが、本のようにそれぞれ異なったおもしろい世界が含まれた箱の作品が展示された。大町を小さな箱のなかに表現しようとする作家が展示準備期間に大町をめぐり、モノと物語を収集したり、市民から身の周りに眠っている小物を募集したりしながら作品を制作していた。青木湖の水晶、道端に散っている花や草木、たくさん買い過ぎた金具、使わなかったけど捨てられない手芸・工作の材料等、様々なモノが箱作品の要素になった。また、会期中は毎週末に「自分だけの大町の物語をつくろう！」というワークショップを作家本人が開催し、計22回のワークショップで、130人以上の地元の方や大町に訪れた方々が参加した。参加者の制作した、それぞれの思い出が含まれた作品も会期中に一緒に展示し、会期が終わってから返すことにした。旧書庫空間の壁に並ぶ一見小さな一つ一つの箱を覗いてみると、それぞれの世界が広がる。

COLLABORATORS

会場施工　㈱胡桃澤組
照明施工　MGS 照明設計事務所
インストーラー　本間大悟
イラストレーション制作　籠谷真希子
素材提供　地域住民のみなさん

Watanabe makes small worlds in a 5x5cm boxes. Her work is made of small and familiar materials placed together to express her unique view of the world, with poetic titles. The work displayed in the festival conveys the memories of the people of Omachi and the history of the city in these small boxes. On display, along with the pieces made by the artist, are also pieces made by local citizens and visitors in workshops that were held 22 times through the festival period. Through their handcraft, she attempts to widen the experience and memories of Omachi outward, inviting audiences viewing the boxes into the journey of memories.

Fuse Tomoko (Japan)
布施知子 (日本)

OROCHI（Big Snake）
OROCHI（大蛇）

CONCEPT

大町市八坂の小さな集落に移り住み、世界へ日本文化を発信し続ける折り紙作家。角柱をねじりながらコイル状に織り畳む「コイル折り」、パーツを組み合わせてつくる「ユニット折り」、同じ形を無限に繰り返す「無限折り」など、一枚の平坦な紙を「折ること」によって、独創的な世界を生み出してきた。

今回の作品で使われている「コイル折り」の技法が完成したとき、くねり、のたうつ姿から即座に連想された「大蛇」には、原初の生命体を象徴するかのような存在感を感じたという。どんな世界が生まれるのかわからないから楽しいという作家による、自然にひそむ神秘的なものが表現された、類まれな折り紙の世界。

DOCUMENT

2017年芸術祭では、鷹狩山山頂に作品を展開した作家が、旧大町北高等学校の図書室を舞台に、新たな折り紙の世界を創出した。

作家は複数の紙を組み合わせて作るユニット折り紙の第一人者として知られており、現在では折り紙の大きな一分野になっている。この技法は、昔からくす玉などの作り方として知られていたが、それまで一枚の紙を折るという常識で考えられていた折り紙の世界を大きく変化させた。

折り方の図面を描き、老若男女誰でも作れる折り紙を推進する一方、近年は作家本人でも予想できない折り紙の世界を目指して、現代アートとしての折り紙を始める。「円柱をねじりながら平らにしたい」という発想からコイル折りとして体系的に研究し、本作では12角形を使用。完成までに、30mを超えるロール紙を何本も使用したという。そんな折ることに費やした膨大な時間を経たのちに、即興音楽のような自由さから生み出された作品である。

COLLABORATORS

会場デザイン （株）4Dstudio Nagano
会場施工 （株）早川組

Origami artist Fuse has moved to the small village of Yasaka in Omachi, and continues to express Japanese culture to the world. She has produced unique art in folded paper, such as unit-folding with multiple parts combined together, and eternal folding in which the same patterns are repeated endlessly. The technique used in the work on display at the festival is coil-folding. For this, an octagonal cylinder is pressed and at the same time twisted. When she perfected this technique, she felt a presence that symbolized the primitive organism in a figure that resembled a weaving and writhing big snake. This is a one-of-a-kind world of origami from an artist who says she enjoys the aspect of an unknown world being created.

対談　布施知子×北川フラム

公式 HP　Artist Link＃04 にて　2021 年 4 月 9 日掲載

北川フラム：お久しぶりです。今年の北アルプス国際芸術祭では、どのように折り紙を展示されるか教えてください。

布施知子：去年開催予定だった芸術祭はとても楽しみにしていたのですが延期になり、数少ない発表の場が一つなくなったというのはとても寂しかったです。現代美術というかそういうものの発表の場というのはものすごく少ないですね。これは誰にでも言えることだと思いますが、それなりに人が来てくださり見ていただけるということはとっても嬉しいことですね。この芸術祭は地元と結びついているので、地元の人にもぜひ喜んでいただきたいという風に思ってやっていました。私が作っているのは紙なので、わりあいとナマモノっぽいところもあって、もう 1 年前に作ったのでちょっといま開けるのが怖いです。状態が良いか悪いかわからないので。

去年展示する予定で十分余裕をもって作られていたのですか。

折り紙って簡単にパパッとできると思われているかもしれませんが、意外と折るのに時間がかかるので時間をみておかないと間に合わなくなってしまうのです。現場でパパッとやるのもあるのでしょうけど、こんな山奥で一人でせっせとやっていますので時間がかかるのです。今回は数人の方に手伝っていただきましたけど、最初は手伝うというか折りを体験していただくっていうのが強かったのかな。ただ段々みんなうまくなって、3 人の方にお願いしたのですが、1 人の方は結構上手に折れるようになりました。

今回の作品「OROCHI（大蛇）」はどのような折り方ですか。

私は "コイル折り" と言っていますけど、紙の筒を上からパンって潰すイメージです。提灯の長いような感じです。

いくつくらいの紙の筒を用意したのですか。

数えきれないくらいです。30m ロールを何本も使いました。ヤマタノオロチのような大蛇っていうのはイメージだけで、今回はなにかクネクネした生命体みたいな物、ちょっと気持ち悪いようものを作りたいなと思いました。それから、前回（2017 年）の展示作品 "枯山水" もそうですが、壊れやすい紙の作品の扱いは大変で、とにかく折りたたんでコンパクトにして、現場でバッと広げられるものにしたいと考えて作りました。

紙についてですが、今まで物を作るということをやられていて、どういう新しい発見があって進んできたのでしょうか。

折り紙って日本人なら誰でも知っているものですね。私も誰もが折れる折り紙をずっとやってきて、だけど折り紙っていうとあまりにも一般的で、そこからアート的なものは想像しづらいと思います。私もずっと普通の折り紙の本、それを見れば誰でも一応折れるはずという本を書くことを仕事にして、そういうものをずっと作ってきましたが、60 歳くらいからやっと、自分がいままでしたかった「誰でも作れない折り紙」っていうものを始めたいと思ったのです。話が逸れますけど、最近は折り紙設計というソフトがあるんですね。例えば正方形の紙で犬を、例えばティッシュペーパーで作りたいと思った時に、普通の人はここは耳、ここは尻尾、ここは足って捻ってやっていくとできそうな気がしませんか。それをパッと開くと円領域ができるんです。足は長いから円領域が広い、耳は小さいから円領域が小さい、そういう風に正方形の中に配置していくんです。その間を帯で接続するようなことを考えるんですけど、そんな風な解析的な折り紙っていうのはもう極に達してきていて、折れないものないぐらいです。そういう意味で工学系は極に達し、計算され尽くされているんですね。それとは逆に私は計算では生まれない折り紙を見つけたいと思ってやっています。

何度か新しい発見というのはやっているとどんどん出てくるものですか。

やっぱり毎日やり続けていれば、毎日何かあるはず何

かあるはずだって。タイプが2つあって、理工学系の男子に多いんですけど計算でやる人と、手で考える人。私は手の方が動いちゃうので、手で考えるタイプでどっちかというと古いタイプに分類されるんですが、とにかく折ってみるっていうか。私の折るものは数学的に設計されたように思われていますが、折っているうちに全部見つけたものなんです。

布施さんの作品を見ていて、最初に素人なりに疑問に思ったのが、図面でいうと線で書かれているのですが、畳んでいくと厚さがどんどん出てくるじゃないですか、その厚さをどう折っていくのかに興味があるんです。

それも折り紙の大きな一つのテーマで、剛体折りって言って、伸び縮みしない鉄板のようなものを折るっていう工学系の方がなさっていますけど、それはまた別分野になって、折り紙っていうのは限りなく誤差を含んでいるんです。紙は伸び縮みするので、結局手心っていうのが大きいですね。例えば鶴の首を折るっていう時にも、紙の厚みで絶対折れないはずなんですけど、なんとなく折れちゃうんです。そういうところが面白いところでそれが紙の良さだと思いますね。

手が覚えていないとなかなかできないってことですかね。

折り紙って折っていると、思わぬプレゼントを向こうからしてくれるというか、それはイギリスの知り合いの方が言っていたことですが、「今日折り紙をしたあなたも、30年やっている私も一緒に折り紙を折った時、同じ質の喜びと驚きを味わえる」って。だから研鑽をつんだ者だけが到達できる世界でもないんですね。偶然に見つけちゃうこともあって、それがすごく面白いところかな。頭柔らかくしていると、例えば、鶴の形を私たちは鶴しか想像しないのですが、そこから見る角度を変えると別のものに見えてくる。折り紙を折りながら説明しますね。

フラムさんに折り紙講師をやっています(笑)鶴が違う角度で見るとゾウの顔になるんです。こういうのは大体子供が見つけるんですよ。こういうのを見せつけられるとワーと驚いてすごくみんな嬉しくなるんです。こういう思いがけない発見があるんですよ。突然できちゃう場合もあれば、積み重ねてできる場合があって面白いんですよ。

折り紙は小さい頃から慣れ親しんでずっとやられていたのですか。

小学2年生の頃に大病をして半年くらい学校に行けなかった時期があって、その時に父親が折り紙の本を買ってくれまして、その本を見ながら一人で折り紙をしていてそこからがスタートで何十年も続けてやっています。

新型コロナウイルス感染症のもたらしたパンデミックでは格別変わったことや考えたことはありましたか。

どこにも行けないですが、折り紙は一人でやるものなので日々の暮らしは変わっていないですね。やることも変わっていないし、普通の勤労者と同じような時間帯は折り紙をやっていましたね。ただ、折り紙の仲間たちと世界中のミーティングに参加できることが喜びで、楽しみでしたが、それがすっかりなくなってしまって、世界中の仲間たちと会える機会がなくなって残念です。各国で年にいろんな大会もあったりしたのが全部なくなってしまった。私的には変わってないけど、一人でやるものでも人と会って何か分かち合うっていうのは血がめぐるので、やはり人と会うことは大切だと思いました。

布施さんの家の周りにはどのような動物が見れたり、動物とどんな感じで関わっているのですか。

人に会うことはほとんどないですね。動物の方がよっぽど会います。鹿はすごく鉢合わせします。カモシカも来ます。家の庭でダルマさんが転んだみたいに段々近づいてきて、庭の草木やネギ系のものを食べていきます。たぬきとか狐とか。このごろ猿が70頭くらいくるんです。柿の木があるのでくるんです。最初は追っていましたが、最近は眺めるのが楽しみで。猪は家の前に山葵を植えていたんですがそこを掘り返されてしまって、熊も来ました。柿の木に来ました。一晩中枝を折って食べてはお尻の下にひいて、朝起きたら熊棚ができていました。家のすぐ近くだから物音でわかるんです。熊だけは怖いんです。散歩の時は唐辛子スプレーを持っているんです。

なぜ大町市八坂に移住されたのですか。

最初は戸隠や埼玉に行ったり、いろいろ探しました。八坂は一番自然が乱暴だったんですよね(笑)一番荒れ果てていたというか。草木の茂り方と光が素晴らしかったんですね。それにドキッとしてしまって選びました。

紙っていうのはいろんな言い方できるけど、光と陰っていう感じがすごくするので光っていうのは大きいかもですね。今日はありがとうございました。

KOTAKEMAN (Japan)

コタケマン（日本）

ARTIST

1979年大阪生まれ／在住。6年間かけて一軒家をまるごと作品にした「セルフ屋敷」、大阪・新世界で「己を祭れ」をコンセプトに興した「セルフ祭り」など、人を巻き込みながら、あらゆる事柄を「セルフ」で成立させるスタイルを貫いている。

2019 「みんなの塔」（あいちトリエンナーレ地域展開事業「現代美術 in 豊田」）豊田参合館（愛知）
2017 「セルフ屋敷2」北アルプス国際芸術祭2017（長野）
2015 三戸なつめデビューシングル「前髪切りすぎた」ミュージックビデオ監督
2014 インドにオリジナルの相撲を広めに行く（バラナシ、インド）
2012 「セルフ祭」を立ち上げる ※現在も年1回開催中（新世界市場、大阪）
2012 「セルフ屋敷」公開 ※現在も制作中（住之江区の一軒家、大阪）

市街地エリア

SITE　農具川沿いの空き地

農具川は、仁科三湖を源流に南へ18kmほど流れて高瀬川に合流する一級河川。湖を源とするため水量が安定しており水温も高い。古代、大町の米作りはこの農具川沿いから始まったと考えられ、川沿いに弥生時代の集落遺跡が出土している。市街地を流れる区間はコンクリート張りではない多自然型工法で整備されており、季節には地元有志が植えたアヤメ・レンゲツツジ・シバザクラなどが残雪の北アルプスを背に咲き誇って、訪れた人の目を楽しませている。

COLLABORATORS

協力　石原家
技術協力　㈱松田左官店
素材提供　北澤豊繁、千年の森自然学校
植栽協力　ラ・カスタ ナチュラル ヒーリング ガーデン、大西緑
設備協力　㈲コマ工芸、日立建機日本㈱大町営業所

New ま、生ケルノ山

CONCEPT

山の奥のまた奥にそびえ立つ北アルプスから吹きおろす風、その風が運ぶ空気は細い糸状の魚群となって鼻孔を突き抜け、山から溢れ出す雪解け水の激しい音があちらこちらから聞こえる。

五感で自然の力を体感しながら農具川沿いの小道を歩いていくと、北アルプスを背景にした花畑の中に、コタケマンの壁画が描かれた巨大な土壁ドームが現れた。

種をまいて、花を咲かせる。丸太を立て、竹を組んで、山をつくる。藁を混ぜて、土を塗って、絵を描く。素材集めから建築、壁画制作までひとつひとつ手作業で巨大な構造物に挑み、「つくること」を通して土地と人のつながりを活性化する。

DOCUMENT

2017年芸術祭で地元住民を巻き込み人気を集めたコタケマンが、今回は自然に注目し、信濃大町の山や川、空気と大地を巻き込んで制作した野外作品。

コロナ禍で延期になったことを前向きに捉えるため、畑を耕し花畑の制作に力を入れた。様々な協力者から集まった苗や種を植えるところから作品制作は始まった。そして、花を育てようとすることでこの土地の気候や植生を知る。

北アルプスを背景に山をつくるため、地面を掘って丸太を立て、格子状に竹を組んで直径10m高さ5mのドームを構築する。八坂地域でもらった粘土質の土に、常盤地域の藁を足踏みで混ぜこんで、ベト（土壁に適した粘土）をつくる。いつのまにか池ができている。地元の左官職人に教えてもらいながら、ボランティアサポーターを含めたメンバーで土壁を塗る。漆喰を混ぜて強度をあげ、藁を束ねて屋根にする。

作家は手作業で「つくること」を通して体感した経験を、絵の種にしていった。そういうプロセスの中では、育たない花や乾いて石みたいになったベトが新しい発見のきっかけになる。そうやって現れた土壁ドームに、紋様のような、現代の壁画が描かれた。

As you walk down a narrow passage along the Nogu river, experiencing the fresh air and the crystal sound of water, a giant earthen-walled dome appears, covered in paintings and surrounded by flowers, with the Northern Alps in the background. KOTAKEMAN, who became popular in the area in the first iteration of the festival in 2017 through his interaction with local people, was inspired by the power of nature. He aimed to create a large-scale structure by hand, collecting materials with the support of local residents to build the foundation for an earthen wall. Seeding, making the flowers bloom, putting up logs, creating a mound with braided bamboo, mixing straw in it, applying mud, painting – he asked for their support throughout. And in this process he realized once more the connection between the land and its people. The painterly expression, born of all these experiences, stands looking up at the Northern Alps.

Miyanaga Aiko (Japan)

宮永愛子（日本）

ARTIST

1974年京都生まれ / 在住。日用品をナフタリンでかたどったオブジェや、塩、陶器の貫入音や葉脈を使ったインスタレーションなど、気配の痕跡を用いて時を視覚化する作品で注目を集める。

photo by MATSUKAGE ©Miyanaga Aiko Courtesy Mizuma Art Gallery

2021 「コレクションとの対話　6つの部屋」京都市京セラ美術館（京都）
2019 「ヘアサロン壽」瀬戸内国際芸術祭2019（女木島、香川）
2019 「Repetition and Difference　About Time」釜山市立美術館（韓国）
2019 「漕法」高松市美術館（香川）
2018 MOTサテライト2018秋「うごきだす物語」（東京）
2018 「life」ミヅマアートギャラリー（東京）
2017 「宮永愛子 みちかけの透き間」大原美術館 有隣荘（岡山）

市街地エリア

SITE　若一王子神社境内・大町護国神社

若一王子神社本殿は安土桃山時代の様式を残す建造物として国の重要文化財に指定されているほか、三重塔（長野県宝）や観音堂（長野県宝）といった寺社特有の建造物も残るなど、「神仏習合」の影響を色濃く残しているのが特徴である。町の人の崇敬は厚く、7月の第4日曜日とその前日に行われる例大祭では、10町から子ども流鏑馬（やぶさめ）が、6町から祭り舞台が出て、町中が祭りの熱気に包まれる。

COLLABORATORS

協力　若一王子神社
会場施工　㈱胡桃澤組

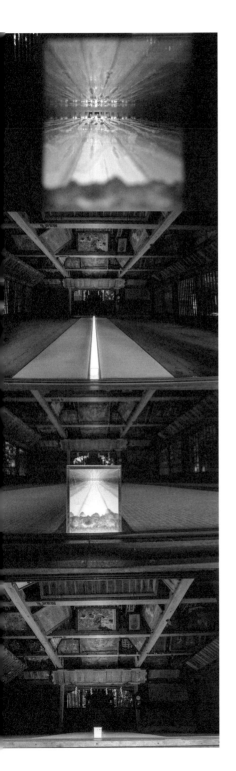

風の架かるところ

CONCEPT

若一王子神社境内にある大町護国神社には、昔から奉納されてきたたくさんの絵馬が天井に飾られている。人々の願いが集められたこの場所に座ると、長い歴史のさまざまな出来事と向き合ってきたことが想起される。今回の展示では、木扉で閉じられた薄暗いこの場所に風を送る。普段は開放されていない空間で、作品が鑑賞者と場のかかわりを繋げる架け橋となった。風や光のふるまい、小さな結晶の成り立ちに耳を澄ませるように、その微細な変化を体験する作品。

DOCUMENT

作家が視察で護国神社を訪れた際、場所の力そのものに強い興味を引かれ、何もしなくてもよい空間だと感じたという。そして、木扉で閉じられた社内を開き、沢山の絵馬が天井に飾られている社の内部を照らすように白く光る、透明な直方体のライトボックスが設置された。
その透明な直方体の中にあり、本作品で用いられているナフタリンは、作家の代名詞ともいえる素材である。ナフタリンは、温度によって氷（固体）―水（液体）―水蒸気（気体）という順序で変化するのではなく、昇華と呼ばれる固体から直接気体へと状態変化する性質を持っている。透明な直方体の中に閉じ込められて、常温のわずかな温度変化で少しずつ気体へと状態変化するナフタリンは、作品内部の細い線を頼りに、少しずつ結晶化する。そうやって、ナフタリンの形が昇華して失われると同時に、新しい形に結晶化するということを繰り返し、息をするように変化し続ける作品。そして、ライトボックスの奥に細い線で造形された梯子には、戦争や公務のために亡くなった人の霊を祀る護国神社と、ここに訪れた人を繋げる架け橋という意味が込められていたという。

Hanging from the ceiling of the Omachigokoku Shrine in Nyakuichioji are an array of ema (small wooden plaques on which Shinto and Buddhist worshippers write prayers and wishes), dedicated from ancient times. Sitting in this place, where people's wishes have been gathered, Miyanaga was reminded of the fact that the shrine has been confronted by various incidents throughout its long history. Inside the shrine, she placed a white, rectangular box light. Naftalin, used in the work, sublimates at room temperature, so inside the airtight light box it repeatedly sublimates and crystalizes as if it were breathing. Experiencing this work is to experience delicate changes, as if listening to the movement of wind and light, and how the little crystals form.

Asai Yusuke (Japan)

淺井裕介 （日本）

ARTIST

1981 年、東京生まれ / 在住。土、葉っぱ、道路用白線素材、テープな
どを用いて絵画を制作している。角砂糖の包み紙や紙ナプキンへのド
ローイング、泥や白線を使った巨大な壁画や地上絵まで奔放で幅広い
作品を展開する。

2022 「A Spirit of Gift, A Place of Sharing」Hancock Shaker Village（アメリカ）
2021 「生命の庭」 東京都庭園美術館（東京）
2019 武隆ランバ国際 大地芸術祭 （中国）
2015 「淺井裕介—絵の種 土の旅」彫刻の森美術館（神奈川）
2014 「yamatane」Rice University Art Gallery（アメリカ）
2011 「MOT コレクション 特別展示 淺井裕介」東京都現代美術館（東京）

市街地エリア

SITE 大町名店街

昭和レトロな雰囲気を残す大町名店街は、1970 年に完成された半透明の天井
と青い照明のアーケードが印象的な商店街。かつては魚屋や八百屋などの生
鮮食品などを扱う市場的な商店街だったが、現在では飲食店が多くみられる。
この中には、障がい者の就労継続支援のための共同作業所「がんばりやさん」
があり、2017 年の第 1 回展よりジミー・リャオとの協働プロジェクトが開始
している。また本国際芸術祭前身の「信濃大町 2014 ～食とアートの回廊～」
ではメインエリアとなっていた。

COLLABORATORS

協力 大町名店街
制作 共同作業所がんばりやさん
大町市立八坂小学校、大町市立美麻小中学校

Everything Connects Beautifully and Returns to the Cycle

すべては美しく繋がり還る

CONCEPT

北アルプス国際芸術祭の前身となる「信濃大町2014〜食とアートの廻廊〜」にて制作された作品。地元の小学校や地域住民の参加者によって、水と植物をテーマに切り抜かれた道路用の白線素材を利用し、作家がモザイク状により大きな動植物の形で地面に定着させ、約150mのアーケードいっぱいにオリジナルの地上絵が完成した。高度経済成長期に栄えた昭和の風情を残す名店街に、いくつもの物語が重なり絡み合い、現在もこの絵は残り続け、人々の生活に溶け込むとともに信濃大町を飾っている。

DOCUMENT

マスキングテープを素材に利用した仮設的な絵画作品の他に、大町エネルギー博物館にも描かれた、地域の土を使って月日と共に変化する巨大な泥絵など、素材に囚われない絵画表現を国内外で発表している淺井裕介。本作品は、道路用白線素材という屋外での維持管理に優れた素材で制作されている。八坂小学校、美麻小中学校でのワークショップや、共同作業所がんばりやさんの利用者や名店街の有志の方々の協力を通して、多くの人々が「水と植物」の形に切り抜いた白線素材を集めた。そして、そこで集まった形をモザイク状に貼り合わせ、鹿やオオカミ、川や湖、蔦や花などのより大きな絵として道路に定着させ、自然のつながりが現われた「すべては美しく繋がり還る」地上絵が完成した。バーナーで熱することで定着された白線素材は強固で、2014年の制作後、名店街の組合主導で毎年清掃作業が行われており、2017年の芸術祭、そして今回の芸術祭でも展示することができた。制作時に小学生だった参加者が成人する時期になっていることもあり、現在では昔自分が切り抜いた動植物をみつけて、その頃を思い出すきっかけにもなっている。

This work was produced for Shinano-Omachi 2014 – Food and Art Corridor, a predecessor to the Northern Alps Art Festival. The 150m long piece uses white road marking tape cut out in the shape of things related to water and plants in a mosaic, laid on the ground in the street of a shopping arcade.
Due to the annual cleaning carried out by the business union of the street, who maintain the distinctive atmosphere of the Showa era between the 50s and 70s which saw rapid economic development, the work remains to this day, blending in with the lives of the people and the landscape of Shinano-Omachi.

Asai Yusuke (Japan)

淺井裕介 (日本)

SITE　大町エネルギー博物館

黒部ダムの建設基地であった大町市で、水力発電をはじめ、自然と調和する
エネルギーの開発を発信する施設として1982年に開館した。館内には北ア
ルプスの模型や水力発電関係の展示の他、パラボラアンテナ、鉄球コースター、
歯車の模型、パズルや立木の手作り遊具などで遊びながら、物理法則やアナ
ログなエネルギーを学べる施設になっている。土、日、祝祭日はプラネタリ
ウム上映や発明クラブなども開催しており、薪を蒸焼きにして発生するガス
を燃料として走る、薪バス "もくちゃん" も期間限定で運航している。

COLLABORATORS

協力　大町エネルギー博物館
メンテナンス協力　㈲平野塗装店
制作サポート　岩瀬圭司、高久柊馬
浅見風、佐藤麻婆、沖山翼

ダムエリア

Spring of Soil

土の泉

CONCEPT

大町エネルギー博物館の外壁に、信濃大町で集めた 13 種類の土を使い、地域内外のサポーターとともに巨大な壁画を描いた作品。2017 年芸術祭で発表され、継続展示されていた本作品を、今回新たに再制作した。作家は、まちの周りに流れる水、その環境と共に歩んできた人々からにじみ出るイメージの断片をすくいあげながら、この土地に潜む形と自らの身体からあふれ出る形を混ぜ合わせる。完成した巨大な壁画は植物の化身のように自由奔放にのびのびと拡がり、生命のエネルギーを感じさせた。

DOCUMENT

2014 年に道路用白線素材で名店街に地上絵を描いた淺井裕介による、全長 20 m、高さ 6 m の泥絵の壁画。作品が制作された 2017 年芸術祭から 4 年の歳月が経ち、雨風にさらされ少しずつ掠れていた泥絵の上から再制作され、歳月の層を重ねた新しい絵へと生まれ変わった。
作家が泥絵を描き始めたきっかけは 2008 年のインドネシアでのこと。見たこともないような巨大なバナナの葉や地面にしっかりと根付く菩提樹を見て、映画「天空の城ラピュタ」で緑にあふれるラピュタの風景と重なった。そして、その生命力豊かな植物たちを支える地面を見て、それまでになく土を親密に感じたことから、作家による泥絵の旅が始まった。
大町市内の 13 か所から採取された土は、会場に展示された色見本からもわかるように、白っぽい色から、赤、茶、黒までとてもカラフルである。海外でも泥絵を制作している作家は、大町の後に訪れたフィンランドでは土が黒系に偏っていることを知り、改めて日本の土が色彩豊かだということに気づいたという。採取した土を乾燥させ、砕いてふるいにかけてその粒子を細かく選別したのち、水に溶かしてこねる。植物が種を実らせて生命力の広がりを見せるように、土の粒子が泥絵として大町エネルギー博物館の壁面に描かれることで、土のもつ大地のエネルギーが生命力豊かに表現されている。

On the exterior wall of the Omachi Energy Museum, Asai painted a huge mud mural alongside supporters from within and from outside the local area, using 13 different muds collected in Shinano-Omachi. It was exhibited in the 2017 festival, and has been present ever since. The artist remade it for this iteration. He picks up elements of images seeping out of the water flowing through the city, and from the people living in the environment, and mixes them with the forms that are hidden in the land, and that arise from within himself. The huge mural spreads freely, like an incarnation of plants, conveying the energy of life to its viewers.

Tom Müller (Switzerland /Australia)

トム・ミュラー（スイス / オーストラリア）

ARTIST

1975 年スイス生まれ / オーストラリア在住。 グローバル化、環境、空間、時間に着想し、膨大なデータ、地理、時間枠、歴史の連続性に関心を持つ。フリーマントルビエンナーレの設立者、現アートディレクター。

2019　The National − New Australian Art Carriageworks（シドニー、オーストラリア）
2019　「Ritual」There is Gallery（パース、オーストラリア）
2017　「Uprising」Round House for High Tide 17（フリーマントル、オーストラリア）
2013　「Luminous Flux」Lawrence Wilson Gallery（パース、オーストラリア）
2012　「Open by Necessity」Museum of Natural Mystery（パース、オーストラリア）

SITE　仙人岩

北アルプスの槍ヶ岳（標高 3180 ｍ）に源流を持つ高瀬川。上流の湯俣には国天然記念物の噴湯丘がある。険しい勾配を流れる豊富な水が岩盤を穿ち、高瀬渓谷が形成された。エメラルドグリーンの水面に360 度の紅葉が色づく景勝地。全長 22m、高さ 10m を超える巨岩「仙人岩」は高瀬川の上流から流されてきたと考えられている。高瀬川はしばしば氾濫する暴れ川であったが、今は渓谷の３つのダムがまちを洪水から守っている。

COLLABORATORS

協力　中信森林管理署、仙人閣
ポンプ設計　㈱相模組
機材協力　㈱アクティオ
助成　オーストラリア大使館

ダムエリア

FOUNTAINHEAD – Rock , River , Origin , Water , Span , Tension , Between –

源泉〈岩、川、起源、水、全長、緊張、間〉

CONCEPT

特定の場との関係性から生まれる「サイト・レスポンシブ」な作品。仙人岩の神話的な側面と地学的な意味を検証し、その岩が本来持っている川とのつながり、非常に長い年月をかけて巨大な岩を動かした高瀬川との関係性を再構築した。

タイトル "Fountainhead" は、この作品から「湧き出る泉 -Fountain-」と仙人岩のビジュアルから連想された「あたま -Head-」を合わせた造語で、全ての根源、源泉という意味が込められた。岩から落ちる雫が新たな水の流れをつくり、断続的に発生する霧によって、仙人岩が霧のブランケットを纏っているかのような瞬間は、土地の歴史や神話、そしてこの地で培われてきた山の精霊といった存在を示唆している。

DOCUMENT

2019 年の 12 月にサイトへ訪れた作家は、仙人岩のもつ場の力に魅了された理由として、山に囲まれた地形や豊富な水資源、穏やかで奥深い森林の雰囲気が故郷であるスイスの風景を思い起こさせたことをあげる。そして、仙人岩はこの土地の豊かな歴史のひとつであり、代々続いてきた人々の暮らしは、この地域の今を支える財産だと語った。当初は現地制作を予定していたが、コロナ感染症の影響で来日を断念し、水量の調整や時間別の風と霧の関係、水の落ちる地面の環境保全、大雨の影響でホースをひいている導線上に倒木するハプニングなどを乗り越え、度重なる実験を経てリモートの作品制作を実施した。

岩面の形状に沿って上部から流れ落ちる水は 3 か所の中継地点を通過して高瀬川よりポンプで揚水していた。周辺道路の視界を妨げるという問題から、霧の吐出量を制限することとなり、芸術祭期間中は土日祝日に限り、20 分から 1 時間間隔で霧が仙人岩を包んだ。

Sennin-iwa, a gigantic rock measuring 22 meters in length and over 10 meters in height, is thought to have been washed down from the upper reaches of the Takasegawa river. This rock, which seems as though it is leaning, forms a cave large enough for a dozen people to be under its shade. With his site-responsive approach, Müller reconstructs the connection that existed between sennin-iwa and the river, in other words the interrelation between the rock and the water that moved it over a tremendously long period of time. Water dripping from the rock creates a new stream, and in the intermittently produced fog, sennin-iwa appears to be wearing a shroud, suggesting the history and myths of the land, and the mountainous spirits of the domain.

Isobe Yukihisa (Japan)

磯辺行久（日本）

ARTIST／ECOLOGICAL PLANNER

1965年渡米。ペンシルバニア大学大学院のイアン・L・マクハーグ氏のもとでエコロジカル・プランニングを学ぶ。帰国後、国・都道府県からの委託で自然・社会環境の調査・研究に従事。最近では限界集落等をテーマに、社会・文化人類学（social and cultural anthropology）的方法論に着目したPJを行っている。

2022　Les Êtres Lieux, Maison de la Culture du Japon à Paris(Paris, France)(Showing a piece from CNAP collection)
2022　Aerodream. Architecture, design et structures gonflables. Cité de l'architecture & du patrimoine (Paris, France)
2021　Aerodream-Architecture, Design and Inflatable Structures 1950-2020, Centre Pompidou – Metz (Metz, France)
2018　「磯辺行久の世界ー記号から環境へ」磯辺行久記念 越後妻有清津倉庫美術館（新潟）
2000-2018　信濃川をテーマとする《川はどこへいった》PJのシリーズ 大地の芸術祭越後妻有アートトリエンナーレ（新潟）
2007　「磯辺行久 Landscape ― Yukihisa Isobe, Artist ― Ecological Planner」東京都現代美術館（東京）

SITE　七倉ダム

北アルプスを源とする豊富な流水と急峻な地形をもつ高瀬渓谷は、水力発電の適地である。明治から大正期にかけて、国産アルミニウム精錬のための電力を求めて大規模な電源開発が行われ、渓谷に5つの発電所が建設された。現在は高瀬ダム、七倉ダム、大町ダムの3つのダムがあり、高瀬ダムと七倉ダムの間には日本一の規模を誇る揚水式発電所、新高瀬川発電所がある。会場となった七倉ダムは巨大なロックフィルダムで、岩石や土砂を積み上げ建設された光景は圧巻である。

COLLABORATORS

企画・協力・CG制作　㈱リジオナル・プランニング・チーム
山本清治
協力　東京電力リニューアブルパワー㈱高瀬川事業所
測量・計画　南雲昇
施工　㈱峯村組

ダムエリア

不確かな風向

CONCEPT

作家は 1970 年代から環境計画のパイオニアとして仕事をし、近年は自然環境の変化と地域社会の関係を主題とする作品を発表している。この地域特有の環境資源である土地資源の大規模改変（land reclamation）の結果として生じた風、降水、地下水、また河川への影響に着目し、ダム建設を含めた高瀬渓谷周辺の環境変化をテーマに、実際の観測や過去の委託研究環境資源調査等で収集したデータから風の流れを視覚化した。エコロジカルプランニングの手法にもとづき、長い時間をかけて水や風、総合的な自然の流れが変わっていく現象を、150m × 300m の原寸大で体感できる作品である。

DOCUMENT

エコロジカルプランニングとは、特定の地域における人と環境の関わりを多元的に読み解き、地域を分析する手法である。具体的には地学、気候、人為、生物、社会文化史など異なる視点から地域を分析し、それぞれの視点から相互の関連や周辺との地理的・歴史的な関係性を複合的に評価することで、より総合的に地域の特性（資源）の把握や環境（資源）利用に対する地域の適性（適合性と制約）の分析を行う。作家はこの手法の日本における第一人者であり、その多元的な視点による分析は、日本における地域芸術祭の魅力にも繋がっている。

本作の舞台となった七倉ダムはロックフィルダムという名前の通り、周辺の岩を集積し、積み重ねることで建設されている。作家は七倉ダムの３年分に及ぶ風力、風向、最大風速、瞬間風速のデータを参考に、ダム下流の広場にその挙動（behavior）を示した。ダムの各所に設置された吹き流しが地上やダム斜面、ダム堤頂の現在の風の挙動を可視化している。広場の大地に描かれている線は、他流域から持ち込まないことを原則として、ダム下端の地面を掘り返して出てきた岩石や砂利をフルイにかけ、表面の土砂と入れ替えることによって示されている。芸術祭会期中、多くの観客が七倉ダムの最上部まで階段で登り作品を俯瞰する体験を通して、河川水量、標高や季節的な時間、日照による風や風速の変化を直に体感する機会となった。

The site of this work, Nanakura Dam, an example of land reclamation, is a rock-fill dam with a height of 125 meters and a 340-meter crest, which produces 1,280,000kW of electricity. Yukihisa Isobe, an ecological planner, an alumnus of The University of Pennsylvania Graduate School, has focused on its influence on the distinctive environmental resources of the area, such as wind, rain, underground water, and rivers, as well as on environmental changes in the Takase Valley – including the construction of the dam itself. With reference to data of wind power (the direction, maximum wind speed, and instantaneous wind speed over the past three years) he presents the direction of the wind in the field downriver from the dam. The lines created there are accumulations of rocks on the surface, revealed by digging. The streamer placed on the dam visualizes the current wind.

信濃大町の特徴的な地形

北川フラム

首都圏から電車で大町に入るには北陸新幹線長野駅下車で国道19号沿いに長野盆地を抜け、小川村を経て美麻を通る車で入るルートと旧来あったように特急「あずさ」に乗って松本で乗り換え、信濃大町駅に直接下車することが多いと思います。何人かで動く時は車で中央自動車道を利用する人たちも多いのではないでしょうか。

それぞれに楽しみがありますが、長野側のルートは善光寺平から大町盆地に向かい低山帯（東山）を横切り、仁科三湖越しに北アルプスを眺めるという、まさに大町山岳博物館が広める〝タケノコヤマ〟、つまり〈タケ・岳〉北アルプス、〈ノ・野〉盆地、〈コ・湖〉仁科三湖、〈ヤマ・山〉東山という、この大地の成り立ちが自ずと理解できるコースになっています。その東山の鷹狩山から望む景色は圧巻で、大町の市街地を囲む3つの大きな扇状地（高瀬川扇状地、籠川扇状地、鹿島川扇状地）の背後に北側から白馬岳、五竜岳、鹿島槍ヶ岳、爺ヶ岳、蓮華岳、北葛岳、餓鬼岳などの3000m級の峰々を見遥かすことができるのです。春の雪どけの時期には、爺ヶ岳では種蒔き爺さん、鹿島槍ヶ岳では左から舞い上がろうとするツル、坂を駆け下るシシの雪形が見えます。

しかし最初の驚きは、市街地を囲む圧倒的な扇状地の美しさで、165万年前に起きた、爺ヶ岳カルデラの破局噴火後に急速に隆起しはじめた北アルプスからは最近も激流によって大量の土砂が運ばれ、これによりできあがった緑なす扇の美しさは、2万5000年程前、私たちの祖先がやってきて、山からの神や獣と触れあい、侵しあってきた薄明の時を思わせてくれるのです。50年程前、私は、遠野と宮沢賢治の生活圏を巡り、そこで確かに遠野物語にある山の神と人里の気配を感じたのですが、その時以来の感興でした。これが私が大町に魅きつけられた第一の土地のもつ力でした。

第二は春、この扇状地から市街地に入る小川を走る激流の凄さでした。幅2m級の小川に水が迸る、これは圧巻でした。更に家の中の床板をめくれば、かつては街全体に流れていた生活用水というにはあまりにも清々しい水の豊かさがありました。

さて一方、新宿駅から立川、八王子という武蔵野を経て大月から北上し、塩山、甲府、韮崎、諏訪湖、岡谷、塩尻、松本へのルートは富士山と河口湖、青木ヶ原という富士山の火山活動による地形にあわせながら桃やブド

ウの果樹栽培、時の流れを感じさせない地域づくりを偲ばせる風景を車窓から見せてくれると同時に、つつじヶ丘では武田氏の興亡に思いが巡ります。諏訪湖では、観光と工業立地のひと昔前の雰囲気が漂い、松本は古くからの城下町で、上高地への入り口であり、草間彌生や荻原碌山、いわさきちひろなど雰囲気のある美術館や洒落たレストランが点在し、大町という水と歴史の都に至ります。

私は大町から大糸線に乗って金沢に出たり、糸魚川から千国街道に沿って電車で上ったり、最近は車を使って姫川沿いを走ったりしたこともありますが、かつての塩の道はまさに牛と馬や人力によって物資を運ぶ、今なお困難な道で、窓外の景色を含めて楽しいのでおすすめです。

さて以上が大町への一般的な入り口ですが、ここで大町がどういう地形や気象環境のなかにあるか説明しておきましょう。

私たちはタツノオトシゴのような日本列島の形に幼い頃から慣れ親しんでいますが、長野県はそのお腹のもっとも広い部分の中心にあります。そのお腹では大地が2000mを超える高さまで膨らんでいます。このタツノオトシゴの頭にあたる宗谷岬から奥羽山脈を通って中国山地、九州山地を経て鹿児島県の大隈半島にいたる脊椎のような中央分水嶺が日本列島に沿って走っています。これが日本海側と太平洋側の水系を分け、画然と二つの異なった気候を冬の日本につくっているのです。このお腹と脊椎二つの山並が交錯しているところが長野県で、これが長野のほとんどの特徴の由って来るおおもとなのです。この中央部の日本海側には北アルプスがあり、南側に中央アルプスと南アルプスの3000m級の連峰があり、中央分水嶺から分岐して日本海へむかって突出する北アルプスは冬の暴風雪に対して防波堤の役割をはたし、その東側が白馬、松本、伊那の盆地に落ちているというわけです。そこに大町があるのです。1億年以上も前の岩石が土台になっている北アルプスは、親不知で日本海に落ち、乗鞍岳まで約100km、東西幅は30〜40kmで、国内の3000m級の主峰21座のうち10座があり、そこに黒部川、鹿島川、高瀬川、高原川、梓川が走っています。

南北に延びる北アルプスの特徴はかまぼこ型に曲隆し、西側斜面が緩やかで長く、東側は狭い急勾配になっ

ていることですが、それは東側の日本海溝の下を走る太
平洋プレートの圧力により、500万年前から山脈がおぼ
ろげな姿を現しはじめたせいです。アフリカで人類が誕
生したのは700万年前ですが、その頃の日本では九州
が大陸と陸続きで対馬暖流が流入できなかったため、日
本海は寒流が北から流れこみ、日本海側では能登半島あ
たりまでは海が複雑で、大町は信濃湾の中に入り込む冷
たくも豊かな海でした。当時の海岸線は新潟から長野県
北部まで、そして富山と金沢平野へ入り込み、東西の内
湾にはさまれた北アルプスは低平な半島として日本海に
突出していたのです。北アルプスの陸地は海によって後
退しますが、第一期の隆起は250万年前から始まり、
特に176万年前の槍、穂高につづく、165万年前の爺
ヶ岳のカルデラからの破局噴火は、今の新潟・富山両県
全体を変えるほどの規模で起こりました。大町東方の大
峰山地では厚さ300mほど、海だった飯山には10m、
新潟の新津には50cmほどの火砕流が流れています。中
部、関東、東北の大半が1m以上の火山灰に覆われて
います。

　ところで平成30年（2018）にこの北アルプス鹿島槍
ヶ岳のカクネ里雪渓が氷河であると発表されました。
250万年前からの氷河期は60万年前に寒暖差が大きく
なり10万年ほどの周期で氷期がやってきましたが、北
アルプスでは最新の氷期のうち6万年前と2万年前に
主稜線沿いに氷河が発達しました。
　現在氷河は北極圏とヒマラヤ、崑崙、天山、アルタイ、
サヤンなどユーラシア大陸の高山の2グループにしか
存在しないと言われていましたが、最近になって北アル
プス北部で7か所が発見されました。その意味で大町
は、165万年前の爺ヶ岳の大カルデラを生んだ破局噴火
以来、地球のダイナミックな時の流れを表している土地
だとも言えるでしょう。

Kawamata Tadashi (Japan / France)

川俣正 (日本 / フランス)

ARTIST

1953 年北海道生まれ / パリ在住。建築や都市計画、歴史、医療などプロジェクトは多岐にわたる。2014 年フランス文化芸術勲章授章（オフィシエ）受賞。

2017 「源汲・林間テラス」北アルプス国際芸術祭 2017（長野）
2014 フランス文化芸術勲章授章（オフィシエ）
2012 文化庁芸術選奨文部科学大臣賞
2000- 大地の芸術祭越後妻有アートトリエンナーレ（新潟）
1997 Sculpture Projects Münster 2017（ミュンスター、ドイツ）
1987-1992 documenta 8, documenta 9（カッセル、ドイツ）
1982 Venice Biennale（ヴェネツィア、イタリア）

SITE　北アルプスエコパーク緩衝林

この作品は、大町市平源汲（げんゆ）地域の一般廃棄物処理施設「北アルプスエコパーク」の緩衝林の中にある。源汲地域は、源（みなもと）を汲むという名前が表わしているように、鹿島川の上流に位置しているが、2018 年に北アルプス広域連合による北アルプスエコパークが運転を開始した。現在は大町市・白馬村・小谷村から受け入れた 1 日平均 30t のゴミが焼却され、24 時間体制で年間 340 日稼働している。

COLLABORATORS

協力　北アルプス広域連合
設計　鈴木事務所
講師　岩﨑陽子、香山由人、朝重孝治、Leo Allegre
制作　石井壽郎、Ismael Franco Alvarez、池田晴介、伊智万莉奈
伊藤陽大、實藤亮太、庄司理瀬、木村晃子、草茜、高橋美花
谷口奈和香、土田しほり、照屋玲於、野地真隆、深野元太郎
前羽りお、南晴美、山田塾、横井かな、吉田尚宏、和田賢征

源流エリア

源汲・林間テラス

CONCEPT

1980年代よりワークインプログレスという概念を提唱し、「制作プロセスそのもの」も作品であるという作家が、2017年の芸術祭に向け、まさに工事中の北アルプスエコパークの周囲を囲む林内で制作した「源汲・林間テラス」。

現代社会における森と文明の関係性を、ゴミを捨てる時に見える自然環境から考察するため、様々な森林アクティビティに注目し、国内外の学生を中心に、地元の木こりやネイチャーガイドが協力して、森林フィールドワークや、作品制作ワークショップを含む林間芸術学校を実施した。

DOCUMENT

2017年の前回芸術祭の制作期間に開催されたプロジェクト型滞在学習プログラム「北アルプス林間芸術学校」では、フランスよりアートコンストラクターを招聘したワークショップ、千年の森自然学校代表の朝重孝治氏や、山仕事創造舎代表の香山由人氏などの地元専門家による森林のフィールドワーク、嵯峨美術大学准教授の岩崎陽子氏による香りのレクチャーなどの講座が開催され、国内外の参加者が協働して作品制作を体験した。

その後、2018年より北アルプスエコパークが稼働を開始し、今回は満月の前日となった2021年8月21日に、エコパークの焼却炉に残った燃え残りのカケラを楽器に取り入れて、川俣正presents「3日満月×歌島昌智 スペシャルライブ」を開催する予定だったが、コロナ禍の影響でイベント中止となった。

3日満月（みっかまんげつ）
権頭真由（アコーディオン / ピアノ / 歌）、佐藤公哉（ヴァイオリン / パーカッション / 歌）によるデュオ。
長野県松本市を拠点とし、舞台や映像作品の音楽を多く制作。欧州でも活動している。

歌島　昌智（うたしま　まさとし）
出雲市在住のピアニスト、作曲家、民族楽器奏者。世界各国の民族楽器を駆使した音作りを追求し、舞踏、演劇などの舞台音楽も手がける。2012年にアルバム『ゆにわ』をリリース。

In the 2017 edition of the festival, Kawamata created the "Genyu Rinkan Terrace" in the buffer forest growing around the Northern Alps Eco Park (a general waste treatment facility) in order to examine the relationship between forests and civilizations in contemporary society, from the viewpoint of the natural environment we see when we discard trash. Prior to the construction of Genryu Terrace, he conducted an open-air school that included forest fieldwork and creative workshops, with national and international students at the center of the project, and with the cooperation of local loggers and nature guides. For this festival, he was planning to hold "Tadashi Kawashima Presents: Mikka-Mangetsu × Masatoshi Utashima Special Live" the day before a full moon, using items that had not been burned in the incinerator as musical instruments, but it was cancelled due to the influence of COVID-19.

Li Hongbo (China)

リー・ホンボー〈李洪波〉(中国)

ARTIST

1974 年中国吉林省生まれ / 北京在住。紙による独特な表現で知られ、紙をさまざまな形につくり変え、人々の「紙」に対する概念を壊すような作品を展開している。中国の『紙ヒョウタン』という古い技法を用い、優雅で張りのある紙作品を作り出す。

2018 「Made in China — Li Hongbo Solo Project」MOCA（中国）
2017 「Ocean of Flowers」81 Art Museum（北京、中国）
2017 「Quand La Sculpture Devient Créature」Musée du Papier（フランス）
2015 「Rainbow」SCAD Museum of Art（アメリカ）
2012 Biennale of Sydney（オーストラリア）

源流エリア

SITE　大町温泉郷・多目的ホール

高瀬渓谷の葛温泉から引湯し、黒部ダム観光の長野県側玄関口として発展した大町温泉郷。1971 年のアルペンルート全面開通と前後して多くのホテル、旅館が開業した。自然の中の温泉街をコンセプトとしており、建物の周囲に森を残して計画されている。温泉郷の中心部に位置する森林劇場及び多目的ホールは、温泉郷の活性化を目的に 1988 年に大町市が建設し、イベントや祭りに活用されていたが、北アルプス国際芸術祭の会期終了後に全面解体を予定している。

COLLABORATOR

会場施工　㈱岡澤組

童話世界

CONCEPT

中国の古い技術を利用し、開くとハニカム構造になっている独特の紙の彫刻で有名な作家による新しい世界地図。「国」を象徴するそれぞれの彫刻作品が色鮮やかに組み合わさり、巨大な万華鏡のようなインスタレーションが大町温泉郷多目的ホールに現れた。鏡張りの室内に配置されたオブジェ群は、どこか見覚えがあるような不思議な形に変形し、観客をこれまでにない感覚の中へと誘う。

DOCUMENT

2019年に大町市を訪れた作家は、目の前に広がる北アルプスの山々、澄んだ空、青い湖に感動し、童話世界のような風景を再解釈し、ミラーハウスのように室内の周囲を鏡張りにし、カラフルな紙の彫刻作品をランダムに配置にすることで、巨大万華鏡のように生命の彩りにあふれた新しい世界地図を出現させた。

中国から届いた紙の彫刻は、ハニカム構造で蛇腹状に折りたたまれており、その面は世界120か国の領土の形に切り抜かれている。それらの国がそれぞれ18色で表現されていることには、世界には様々な人種やひととそれぞれの考え方があることを意味しており、そこで国の形が水平に開いて展開することで、独特の塔のような形状になることによって、視点を変えることで観客を含めた私たち自身がまったく違う世界を認識できるという無限の可能性を示唆している。作家は平面世界の紙を立体的に展開して国を重ねていくことで、様々な国や民族が共存、協力し合う未来を思い描き、仁科三湖のような鏡面、北アルプスの山々のような国のオブジェを通して、大町から始まる新しい世界（世界地図）を創りあげた。

In this installation work, objects with concertina folds cut into the shape of countries are opened, creating honey-comb structures developed from an old Chinese technique, and forming tower-like paper sculptures. All of these colorful sculptures symbolizing countries are put together like a giant kaleidoscope in the multi-purpose hall of Omachi Onsenkyo, the entire work becoming a world map from a new point of view. The room is mirrored, and the sculptural installation represents a future where cultures rich in diversity coexist and cooperate: the strange shapes which seem somehow familiar lead the audience to a new recognition of the world.

Matsumoto Akinori (Japan)

松本秋則 (日本)

ARTIST

1951 年埼玉生まれ／神奈川在住。主に竹を素材としたサウンドオブジェを創作し、自動演奏によるサウンド・インスタレーションを展開。現在は音楽、美術、演劇とが融合する "アキノリウム" を試みている。

2015　「オトノフウケイ」彫刻の森美術館（箱根）
2010-　「アキノリウム」瀬戸内国際芸術祭（男木島、香川）
2006　「Bamboo Bank」BankART1929（横浜）
1999　第 9 回アジア・アート・ビエンナーレ、グランプリ受賞（バングラデシュ）
1987　第 5 回ヘンリー・ムーア大賞展、美ヶ原高原美術館賞（長野）

SITE　大町温泉郷・旧酒の博物館

北アルプスの豊かな水源に恵まれ、酒米づくりの適地であることから、古くから優れた地酒が造られてきた信濃大町。1980 年に開館した酒の博物館には、大町市内にある 3 つの酒造を中心に、当時の長野県にあった 91 の酒造全銘柄ほか全国各地約 1500 種の清酒が陳列され、酒造りの歴史や文化、道具などが展示されている。2019 年に改修工事のために閉館したままになっていたが、アキノリウム in OMACHI を含めて、2022 年 4 月から 11 月まで毎週末開館している。

COLLABORATORS

協力　大町温泉郷不動産開発㈱
施工　㈱黒部電業舎、㈲柏原建設
ショップ運営　いーずら大町特産館
インストーラー　本間大悟

源流エリア

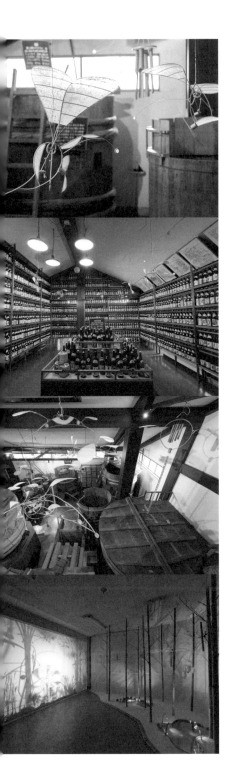

アキノリウム in OMACHI

CONCEPT

北アルプスの伏流水と良質な米で地酒を造る信濃大町。昔の酒づくりに使われた大きな酒樽や道具、全国の清酒を展示していた「酒の博物館」が、作品の舞台としてリニューアルされた。

竹をメインの素材に機械仕掛けのサウンドオブジェを創作する作家が表現したのは、信濃大町の自然からインスピレーションを受けた、雪の中の杉林や、水が滴る池などの原風景。風の流れを捉えて動き続けるサウンドオブジェから素朴な竹音が響き、時間とともに絶えず変化する作品。

DOCUMENT

酒の博物館の展示は、順路に合わせて4つの区画に分けることができる。まず、入口の吹き抜けになっているホールから2階へと昇ると、県内91社（1990年代時点）の銘柄や、酒造りの工程を紹介するミニチュアの他、昔の酒飲み大会で3升盃を6杯飲んだ記録などが展示されている導入エリアで、3体のサウンドオブジェが導線を示している。2つ目の全国の清酒1500銘柄を展示しているエリアでは、サウンドオブジェと竹のオルゴールが奏でる音が空間全体を包む。3つ目の酒造りの道具エリアは、バルコニーから吹き抜けの展示空間を見下ろした後、巨大な酒樽や、人力の酒造りに使われた道具に囲まれて、サウンドオブジェが吹き抜ける風を演出している。

そして、最後の部屋が「アキノリウム in OMACHI」。奥のインスタレーションがスクリーンで仕切られ、影絵として映し出されており、竹という素材や音の原理、機械の研究を積み重ねることで作家が見つけた様々な発見にあふれている。それぞれのオブジェが自立して動くことで、スクリーンに現れる影絵は常に変化し、見る者を一期一会の体験に誘う。

Shinano Omachi is famous for its local sake, made from high quality rice and underground water streaming down from the Northern Alps. The Sake Museum, which once displayed large barrels – tools used to make sake in the past – and different sakes from all over Japan, reopens to present a new artwork for the festival. Matsumoto, who creates shadow pictures and sound objects from bamboo, presents a primitive landscape referencing the nature of Shinano Omachi, such as pine forests in snow and a pond willed with water. The sound object makes a simple bamboo noise while it keeps moving in the wind. Visitors have a unique encounter with this world, in a space that is constantly changing with time.

Hirata Goro (Japan)

平田五郎（日本）

ARTIST

1965 年東京生まれ / 茨城在住。心理的な自分の場所や部屋をつくることをテーマに凍結した湖上、砂漠、ヒマラヤ、アラスカ沿岸部などをひとりで歩行しながら小さな彫刻をつくるフィールドワークを行う。

2017　「水面の風景 ―水の中の光〜山間のモノリス」北アルプス国際芸術祭 2017（長野）
2014　「水面の風景」信濃大町 2014 〜 食とアートの廻廊〜（長野）
2013　愛知トリエンナーレ 2013（愛知）
2005 – 16　「Inside Passage 月を盗んだワタリガラス」（東京、釜山）
2002　「Temporary Existence」エクス・テレーザ国立現代美術センター（メキシコ）
1999　「Ten Asian Artists in Residence」Mattress Factory（ピッツバーグ、アメリカ）

源流エリア

SITE　宮の森自然園

原生林のような林の中を豊富な湧き水が流れる大出地域の自然園。地元の自治会が主体となって整備をしている。約 30 分で一周できる木道脇にはザゼンソウやミズバショウが見られ、流れの中には清流でしか育たないバイカモのほか、イワナが見えることもあるという。また、夏の夜には林の中をホタルが飛び交い、幾種類ものカエルの鳴き声を聞くことができる。

COLLABORATOR

制作協力　㈱信濃美植

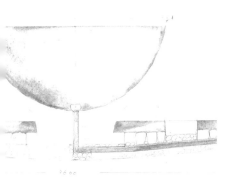

水面の風景

CONCEPT

北アルプス国際芸術祭の前身となる「信濃大町2014〜食とアートの廻廊〜」より継続してきた大出の水をめぐるアートプロジェクトを、場所を移動して新たに展開。ザゼンソウやミズバショウが群生し、湧き水が流れる宮の森自然園に作品を移設しリニューアル。湧き水が悠々と流れる自然園の水景に、御影石による花を添えた。花の内側に水を導水し、溢れだした水が敷石を敷き詰めた円形のくぼ地に薄く溜まり、水鏡となる。そして花を通過した水は地に還る。

自らの手でこつこつと石を運び削り続ける作家の仕事と、循環し流れ続ける水、普遍の存在の象徴としての石が、自然園の緩やかな時間の流れを描き出す作品。

DOCUMENT

2014年に作品の舞台となったのは、宮の森自然園と同じ大出地区の「ホタルの里」。稲作に利用されていた大出ため池に水が溜まらなくなったことで、導水が少なくなった森を舞台に、ホタルの飛び交う環境を復活、維持することを目的に始まった彫刻プロジェクト。時間の積み重ねを現わすような版築の彫刻作品には、ため池の水が高低差を利用して導水され、ホタルの里の森の中に湧き出る水場が現われた。

そして、2017年の芸術祭では、ホタルの里でのプロジェクトを更新し、ため池の水を引くポイントを石組みして浄水機能を高め、御影石で彫刻した蓮の花に導水された。しかし、地元でホタルが住める自然環境を推進していたホタル博士の高橋さんが他界してしまい慣行水利権が消失したこと、獣害被害によって電柵が周囲を取り囲んでしまったことを理由に、2021年芸術祭では作品を移設することとなった。

今回の作品は宮の森自然園の最北端に位置し、南側の入口から宮の森自然園を散策した時の折り返し地点になる。前回フィボナッチ数列で形を導いた蓮の花を、石の構造限界まで薄く軽やかな形状へと変化させ、上流から導水された水が彫刻から溢れこの土地の水の豊かさを体現している。

This art project has continued since Shinano-Omachi 2014 – Food and Art Corridor, a predecessor to the Northern Alps Art Festival. Hirata relocated the granite lotus flower sculpture to Miyanomori Nature Park, a haven of rare plants and spring water, to renew it. The water from the upper stream flows from within the lotus flower, and becomes a water-mirror when it pools in the circular basin paved with stones. Water, running through the piece, returns to the earth of the nature park. The process of the artist carrying stones with his own hands, the water continuing to flow and circulate, and the stones representing universality, express the gentle flow of time at Miyanomori Nature Park.

Emma Malig (Chile / France)

エマ・マリグ (チリ / フランス)

ARTIST

1960 年チリ生まれ / フランス在住。政変により 17 歳で国外亡命を経験し、1993 年以来、パリを拠点に活動。亡命、国境、記憶をテーマに、ノスタルジックで詩的な作品を制作する。

2018 「アトラスの哀歌」大地の芸術祭越後妻有アートトリエンナーレ 2018 (新潟)
2017 Solatierra Visual Arts Museum (サンティアゴ、チリ)
2016 Frontieres National Museum of Immigration History (パリ、フランス)
2016 Paso I Orangerie de Cachan (カシャン、フランス)
2015 Atlas in Fine II museum of Latin America (パリ、フランス)

SITE　旧高橋鉄工所

1960 年頃から 2005 年まで、約 45 年間、社員数名と共に家族経営で営業していた高橋鉄工所の跡地。高さ 8 m、面積 150㎡の倉庫でホイストクレーンが設置されており、稼働当時は鉄製品の切断・組立て・溶接などの加工から、建築用鉄骨の製造等を行っていた。今回の作品に展示された写真は、現在残っている唯一の高橋鉄工所稼働当時の写真。

COLLABORATORS

協力　高橋家
作品設置　やまと種苗園
菅沢和男、降旗哲也、降旗秀文、老野裕介
インストーラー　本間大悟
助成　アンスティチュ・フランセ

源流エリア

シェルター - 山小屋 -

CONCEPT

かつて鉄工所として使われていた空間に、小さな礼拝堂を連想させる神秘的な作品が現われた。灰色で堅牢な工場空間に吊された作品は、礼拝堂のステンドグラスを想起させる。鉄のフレームで連結された長方形のプラスチックシートには大町の〝山・湖・谷〟が繊細に描かれており、自然光が透過することで工場内を光で満たす。作品タイトルからも想像できるように、登山者を守る山の避難小屋のように鑑賞者を温かく包みこむ空間であり、作品の内側に身を置くことで、この土地との対話を深く感じることができる。

DOCUMENT

2020年に信濃大町を訪れた作家は、様々なサイト候補地を視察する中で、旧高橋鉄工所を遠くからみた瞬間に気に入り、作品を構想した。コロナ感染症の影響で来日ができなくなり、鉄工所のオーナーである高橋さんとの手紙のやりとりからかつての姿を想像した。作品のスペイン語タイトルとなっている「REFUGIO」邦題「シェルター - 山小屋 -」には避難所という意味の他に「聖域」という意味もあり、守られた場所であることを示唆している。

「すべての山々は旅人を迎え入れ保護するシェルターとなる。この工場はこの秋のあいだ、この繊細かつ流浪の作品を受け入れ、守り維持する。鉄の構造のすきま、そして透明な壁のあいまあいまに光が差し込み、そこでは風景、チリと大町の偉大な山々が、同じブルーグレーの空の下で互いを映し出し、まざりあう」と作家は語る。会場に流れる鐘のように響いていたのは、作家自身がチリ南部の古い鉄工所で録音した音で、薪で焚きつけた強い炎で燃やされ、鉄が作られるときの音だという。

This mystical piece evoking a small chapel appears in the space of a former ironworks. Hung in the solid, grey factory space the piece calls stained glass to mind. On the rectangle sheets connected by iron threads, the mountain, lake, and gorge of Omachi are drawn delicately, and natural light penetrates to fill the warehouse. As suggested in the title, it is a space that warmly surrounds viewers like a shelter in the mountains, and by placing themselves within it viewers can deeply feel a conversation with the land.

"Refugio" (shelter in Spanish) All the mountains have shelters to welcome and protect the travellers. The factory welcomes and protects this nomadic and fragile artwork. There will remain the time of autumn. The light of the place enters its iron structure, in its transparent walls, where the landscapes, the great mountains of Chile and Omachi are reflected and mixed in the same blue-grey sky.

The sound : "Chile's old iron factory in the silence of Takahashi Factory" sound recording in a very old iron factory in southern Chile. It is the noise, like the bells, that makes the iron when heated in a large wood fire.

Milla Vaahtera <small>(Finland)</small>

ミラ・ヴァーテラ <small>（フィンランド）</small>

ARTIST

1981年フィンランド生まれ／在住。作品テーマは身体やセクシュアリティから、直感や創作過程での対話まで多岐にわたり、フィンランドの伝統ガラス工芸職人との共同制作にも力を入れている。

2020 「Dialogue」Artek Helsinki（フィンランド）
2019 Chart Art Fair（コペンハーゲン、デンマーク）
2019 「Dialogue」ミナペルホネン elävä II（東京）
2019 「Lokal Summer Kiosk」Lokal Gallery Helsinki（フィンランド）
2018 Design Museum Helsinki デザインクラブ優勝

SITE　国営アルプスあづみの公園　大町・松川地区

国営アルプスあづみの公園大町・松川地区は、北アルプス山麓の里山を保全しながら自然体験のフィールドとして活用することを目的に整備され、2009年に開園した。林間アスレチック、渓流の水遊び、食体験などが充実しており、子ども達に人気の公園である。作品の設置された「そまびとの家」は、杣人（そまびと、山仕事をして生計を立てている人）が道具の保管や寝泊りなどに利用した作業小屋を復元した施設で、周囲の「そまびとの森」は来園者による林間作業、里山体験の場になっている。

COLLABORATORS

協力　国営アルプスあづみの公園大町・松川地区
インストーラー　本間大悟

源流エリア

リントゥマー（バードランド）

CONCEPT

国営公園の森の中に建つ、山仕事の作業小屋「そまびとの家」を舞台にしたインスタレーション作品。冬の公園を訪れて、森の中の小さな植物に触発されたという作家が、想像の植物をガラスと真鍮で彫刻し、森を飾る。ガラスの部分は、フィンランドの伝統ガラス職人がコラボレーションする形で製作した。小さな子どもが森の中で経験する魔法のような体験を作りだし、それを忘れがちな大人にも同じ体験を再現したいという思いがこもる作品。

DOCUMENT

芸術祭のビジュアルディレクターである皆川明氏の推薦もあり、今回の参加に至ったフィンランド出身の作家。2020年の厳冬時に視察に来た作家は、信濃大町を巡って国営アルプスあづみの公園の森に訪れ、信濃大町という土地がもつ自然との親密な関係が、作家の母国であるフィンランドと似ていると感じたという。

そしてコケや小さな実、花など、森の中にある小さな植物にインスピレーションを得て、ガラスと真鍮を素材に想像上の植物を模した彫刻作品を制作した。フィンランドの伝統工芸を活性化させ、現代美術に活かしたいという願いを込めて、ガラス部分は1793年にフィンランドのヌータヤルヴィ地方に創立されたガラスメーカーの職人と共同で製作されている。

小さな子どもが自然の中で経験する魔法のような体験を作りだすという目的のもと、陽の光をためて輝くきのこ型のガラスオブジェ「マッシュルーム」、樹に吊られて風で空間を揺らぐ「モビール」、地面から生えるようにバランスをとっている「ポール」など、計34点の彫刻作品を展示。国営アルプスあづみの公園の杣人の家の建物内と周囲の森に点在する彫刻の色、音、動きが、北アルプスの森と共鳴しあう作品となった。

The location of this artwork is the 'House of Somabito', a small working shed set up in the forest in the national Alps Azumino Park for people working in the mountain. Visiting the park in winter, Vaahtera was inspired by the small plants in the forest, and created sculptures of imaginary plants in glass and brass to fill the forest space. Collaborating with glass craftsmen in Nuutajärvi, Finland. she produced 34 pieces, including glass mushrooms, mobiles swaying in the space, and poles emerging from the ground. She placed these pieces in and around the house, creating the magical experience that small children might feel in a forest, in the hope that adults would remember that sensation too.

Manal AlDowayan (Saudi Arabia)

マナル・アルドワイヤン（サウジアラビア）

ARTIST

1973 年サウジアラビア生まれ / 在住。忘却、記憶、サウジアラビアの女性の姿と表現をテーマとし、写真、彫刻、ビデオ、サウンド、ネオンなど多岐にわたる作品を展開している

2016　Illumination — New Contemporary Art at Louisiana（デンマーク）
2014-15　The American Biennale（アメリカ）
2014　「Paintings, Sculptures & Projects Garden」Mathaf Museum of Modern Arab Art（カタール）
2012-13　「Light from the Middle East」Victoria and Albert Museum（ロンドン）
2009-11　Venice Biennale（イタリア）

源流エリア

SITE　須沼神明社

のどかな田園風景の中にひっそりと佇む鎮守の杜。御祭神は天照大御神、常盤須沼地区の産土神社で、創建は鎌倉時代初期と考えられている。昔は例祭時に奉納された「須沼歌舞伎」が有名だったそうで、作品の舞台となっている前宮（神楽殿）は回り舞台が設置されていたという。大町の米どころである常盤地区は神様を祀っている家が多く、それぞれの村の神社では米作りの暦に合わせた伝統行事が大切に受け継がれている。

COLLABORATORS

協力　須沼自治会のみなさん、須沼神明社
素材協力　八坂地域づくり協議会、㈱大地
㈱ヴァンベール平出、信州松崎和紙工業㈲
技術協力　遠藤隆王、須沼つぐら部会
照明計画　Christopher Page
会場施工　㈱相模組
灯篭制作　横川玄

私を照らす

CONCEPT

光の女神、天照大御神が祀られた須沼神明社の舞台で展開されるインスタレーション。アラブ文化において光とは、知識、純度、真実を意味する。天照大御神の神話で語られる稲わらのしめ縄を、神社をとりかこむ木々に見立てて舞台上に再現し、神が歩く光の道を表現。

神話では、天照が天岩戸に籠ったことで世界は暗闇となり、彼女が世界に引き戻された後、光の女神（天照）が洞窟に戻らないよう、洞窟の入り口にしめ縄で結界をひいたという。この暗闇に対する抵抗、生涯にわたる人間の闘いに焦点をあてた作品。

DOCUMENT

作家は、2019年秋に須沼神社を訪れ、田んぼの真ん中に残る鎮守の杜、そこに静かに佇む須沼神明社と、鳥居にかかるしめ縄に興味を持った。芸術祭の会期に向けて、作家本人も強く来日を希望していたが、コロナ感染症の影響で日本での滞在制作を断念。

制作時にイギリスに滞在していたマナルの他、スペインのアシスタント、レバノンの建築担当、オーストラリアの照明コンサルタントと共同チームで日本の制作現場とコミュニケーションしながら制作。2019年末の藁集めから始まり、わら細工を制作している須沼つぐら部会（2020年に解散）にしめ縄の作り方を教えてもらう。集めた藁をすぐって（まっすぐに整えて）用意していたが、コロナの影響で芸術祭が延期。その後、2020年の稲刈り時期に農家から大量の藁を提供して頂き、その藁を天日干しで乾かし、冬の氷点下の時期からしめ縄制作をはじめる。そして延べ人数200人を越える協力者によって、200本のしめ縄を制作し、中心の灯篭に向けて半面を金色に塗装した。

中心の灯篭は、須沼神明社のご神木から着想した。地元の松崎和紙に特性の紙を漉いて頂き、地元木工家がフレームを制作。夜間に灯篭が灯ることで、金色のしめ縄が内側から輝くと同時に、舞台の外に放射状の影を映し出す。

会期中、10月2日、3日に開催された須沼神明社の例大祭では、作品とコラボレーションする形で舞台上のしめ縄を再配置。舞台の中心に獅子舞と神輿を飾り、本殿の神事にて奉納された。

This installation is presented on a stage in the Sunuma Shinmeisha shrine, which is dedicated to Amaterasu, the goddess of light. In Arabic culture, light signifies knowledge, purity, and truth. Straw ropes from the myth of Amaterasu Oomikami have been recreated on the stage, representing the trees surrounding the shrine, and indicating the passage of light walked on by the goddess.

The myth describes how darkness fell when Amaterasu closed herself in the Amano-Iwato cave. After she was returned to the world, a sacred barrier was created with a straw rope at the entrance of the cave to prevent her from returning. The artist focused on human resistance, and the fight against darkness throughout their lives in this work.

「illuminate me（私を照らす）」が照らしていたもの

内海潤也　石橋財団アーティゾン美術館 学芸員

本作は、北アルプス国際芸術祭 2020-2021 の最南端に位置する。地理的中心となる市街地エリアから車で20〜25分ほどでたどり着く、その場所を作家は選んだ。アルドワイヤンは 2019 年に現地を訪れ、「田園風景が広がる平地にポツンと建っている須沼神明社はまるで、砂漠のオアシスのよう」と、拠点とするドバイ／出身地であるサウジアラビアの環境に通じるものを見つけ、その特徴に関心を抱いた。入り口である鳥居、それ以外は背の高い木々によって囲まれているため、神明社は建造物というより平地のなかで際立つ「風景」として目に入る。近づくにつれて木々の間から見える建物（本殿と鳥居、その間にある例大祭などの祭儀が行われる舞台）は、取り囲む木に比して非常にこぢんまりとしており、自然物の存在が際立つ。この外見的特徴は、作品の構成に取り入れられた。鳥居の正面から作品を見ると、木々の間から建物がのぞいていたように、吊り下げられた多くのしめ縄の間から白い縦に延びる形体が見える。しめ縄の森に足を踏み入れれば、遠目で見ていた時よりも舞台は小さく、白い立体よりもしめ縄のひしめきに目がいく（夜は光っている立体に目がいくかと思えば、しめ縄が作り出す無数の不規則な影に目が奪われる）。しめ縄をよく見ると、金色に塗られたものとそうでないものがあることに気づき、塗られている部分は空間中央を向いていることが分かる。しめ縄の間を歩き回ることはできるが、立体が占める中央部分には足を踏み入れることができず、和紙という破れやすい素材で覆われているため触ることすらも躊躇する。立ち入ることができる空間内に触れられない何かがあるという構造は、神様の通る道として人々が通ることを避ける参道・鳥居の真ん中「正中」、という神道の空間認識が作家にインスピレーションを与えた結果だ。神聖なるものは見えないが、物理的な距離感を関係性のうちに織り込む。イスラム教において神「アッラー」は図示されることがなく（人間が描いた像を神として崇めることは禁止されている偶像崇拝となってしまうため）、現在 10 億人以上いるムスリムが毎日捧げる礼拝の方向（キブラ）に位置するカーバ神殿は黒い布（キスワ）で覆われている。神聖なるものの不可視性と方向付けは日本とイスラム圏だけに見られるものではないが、アルドワイヤンは、両文化に共通する特徴を顕在させた。

本作に見られる、伝統（慣習）的・宗教的含意があるものを吊り下げる手法は、作家にとって初めてではない。例えば、「ESMI – MY NAME」（2012 年）や「Suspended Together」（2011 年）などが挙げられる。これらは、2005 年から始まるモノクロ写真とテキストを交えた作家初期の表現形式から、他者との協働制作も交えた多様な手法に展開していく時期に作られた。前者は、守り人と認定された男性が発行する書類をサウジアラビアの女性たちが旅行をするために必要であるという状況に注目した。多くの女性から自身の書類を送ってもらい、陶器で作られた 200 羽の鳩にそれぞれ貼り付けられた。床の上で餌をついばむように移動する、または自由に飛んでいるかのように見える（天井から吊された）鳩たちの動きは、留められている。後者の作品は、女性の名前を呼ぶことを控えるサウジアラビアの風習（代わりに、〜の妻や娘、妹や母といった「関係」で呼ばれる）に着目し、ワークショップや SNS を通じて参加者を募り、女性が自分の名前を表立って示すことについて考える機会を設けた。最終的には、参加者の名前が一粒ずつに書かれた大きなミスバハ（ムスリムが使用する数珠）が吊るされたインスタレーションという形になった。

タイトルである「Illuminate me」＝「照らして下さい」というのは、イスラム圏において、正しい方向へと進めるよう神に導きを願う言葉の一つである。須沼神明社に祀られる天照大御神も光を司るが、イスラム文化圏と異なるのは、その力が女性にあるという点だ。太陽の神（天照）が弟の須佐之男命が暴れ回っているのに怒り、天岩戸という洞窟に隠れてしまったため、一度世界は暗闇に

包まれた。天岩戸からなんとか引き戻した光の女神（天照）が戻らぬよう、しめ縄という結界によって洞窟の入り口は塞がれた。そして、照らされた世の中は明るく平和に戻っていったという神話である。暗闇に対抗する力は、しめ縄によって移動の制限が設けられなければならない。「ESMI – MY NAME」と「Suspended Together」が社会的慣習／制限に形を与えていたように、しめ縄はなにかの社会的慣習なのだろうか？「Illuminate me」を照らす光は、日中は外からもたらされ、日が落ちる頃には作品の中心へと移動する。開場時間が過ぎた時、消灯とともに作品は姿を消したが、代わりに看視を終えたスタッフが帰る車のライトが強烈に辺りを照らした。その光景を見たとき、作品が（物理的にではなく意味論的に）照らし出していたのは作家や作品自身ではなく、それをメンテナンス／維持していた人々なのだと感じた。リモート制作という条件は、制作を他人の手に委ねることを作家に要求するが、その上でアルドワイヤンは、「場」を維持する人々に意識を向けていたように思える。「参加型」を強調すれば、しめ縄制作を担った地域の人々に重点が置かれるが、「作品がある場所のメンテナンス」に目を向ければ、作品がある中で普段のように祭儀を行った人々や点灯・消灯を含む看視／維持スタッフに光があたるだろう。私が作品の中にいるときに、他の鑑賞者が一人ぶら下がったことでしめ縄が一本外れ、解説してくれていたコーディネーターの佐藤壮生が「修復」を行うということが起きた。当たり前だが、作品をこの場に

留めておこうとする維持行為がない限り（特に恒久設置を前提としない屋外作品は）存在が難しいし、（展示前から）空間が維持されてこなければそもそも作品として成り立たない。「維持の結果＝作品のある場」は見ることができるのだが、その実体に触れることは難しい。しめ縄は、「維持」を作品の外に位置づけるという慣習を上書きし、維持という営みに光を司る力を見いだす形だったのかもしれない。「維持する人々が《私を照らす》」と作品自体が語るかのように。

Sugihara Nobuyuki (Japan)

杉原信幸 （日本）

ARTIST

1980 年長野生まれ / 大町在住。2010 年より木崎湖畔を中心に「信濃の国 原始感覚美術祭」を開催。旅で出会う土地と人々と文化への驚きから生まれる表現によって、人と自然の境界をひらく活動を行う。

2020 「東海岸大地藝術祭」（杉原信幸×中村綾花）（台湾）
2019 「Tokyo Midtown アートアワード」優秀賞受賞（杉原信幸×中村綾花）（東京）
2019 「糖石船―編織・神話・麻豆」麻豆糖業大地芸術祭（台湾）
2018 「International Forest Art Path-Art Ecology」（ダルムシュタット、ドイツ）
2017 「アルプスの湖舟」北アルプス国際芸術祭 2017（長野）
2016 「SOKO LABO」瀬戸内国際芸術祭 2016（粟島、香川）

photo by Rich John Matheson

SITE　青木湖

仁科三湖の北端に位置する青木湖は標高 822m、周囲 6650 ｍ、水深 58 ｍの長野県で最も深い湖。糸魚川静岡構造線の地殻変動によって、地面が陥没して、そこに水が溜まって形成された断層性構造湖で、約 3 万年前に発生した山崩れで姫川が堰止められて誕生したと言われ、青木湖の北に位置する佐野坂峠（大町市と白馬村の境界）は、北へ流れる姫川と南へ流れる農具川の分水嶺にもなっている。15000 年前の旧石器時代から人々が生活していたといわれている。

COLLABORATORS

協力　岡沢家
基礎施工　㈱峯村組
制作　中村綾花

アルプスの玻璃の箱舟

CONCEPT

青木湖は明治以前国宝仁科神明宮の神の湖であり、祭祀用や松本の殿様に献上される魚はすべて青木湖のものであった。なぜ神聖な湖であったのか不思議だったという作家は、冬期に水力発電のため水位が最大20m下がる青木湖で、雪解けの春にだけ水晶がとれることを知った。春先に現れる水晶を用い、北アルプスの雪の白さに見立て、水晶と石を三合土でつなぎ、北アルプス山脈の形をつくる。湖面に映る山なみは舟の形となり、アルプスの麓に暮らす人々の記憶と北アルプス山麓の豊かな空間自体が一つの方舟となった。

DOCUMENT

作家は2010年より毎年夏に開催している「信濃の国 原始感覚美術祭」を主催するNPO法人原始感覚舎の代表を務める。作家の父は木崎湖畔で、食生態学者、登山家、探検家である西丸震哉氏の記念館を設立しており、西丸氏が提唱した「原始感覚」をコンセプトに、木崎湖を中心に大町市内全域で開催されている芸術祭である。「原始感覚は太古にあったものというだけではなく、今この瞬間のもの。どれだけ今を生きられるかということが現代の私たちにとっても一番切実な問題だ」と語る作家に共感する参加者が国内外から集い、国際的なアーティストネットワークが構築されている。青木湖畔などで集めた石を蛇篭に詰め、その周りに石組みをして作品の基礎とし、黒糖、餅米、石灰と砂を混ぜあわせた台湾の伝統的な建築材料である三合土を用いて北アルプスの山並みを造形した。そして、冬季の水力発電のために水位が下がる雪解けの春にだけ採取できる水晶（玻璃）を素材に、三合土で貼りつけることで北アルプス山脈の冠雪のように作品を覆う。春から夏に向けて水位があがり、満水になった鏡面の青木湖に映る山なみは、自然環境と交り合いアルプスの方舟となった。

Lake Aoki was considered to be the divine lake of the national treasure Nishina Shiinmei-gu Shrine up until the Meiji era. All of the fish used in rituals, and presented to the lord of Matsumoto, came from the lake. Wondering why it was called a divine lake, Sugihara learned that crystals can be found there in spring as the snow melts, because the water level drops by up to 20 meters during winter for the generation of hydroelectric power. He created the shape of the Northern Alps, with these crystals representing the white snow on the mountains, connected to stone by 'Sanhetu concrete' (a traditional Taiwanese building material that is a mixture of brown sugar, glutinous rice, lime, and sand). The mountain-scape reflected on the surface of the lake takes the shape of a boat. This ark unites the memories of the lake fishermen with the abundant space that spreads under the Northern Alps themselves.

Maaria Wirkkala (Finland)

マーリア・ヴィルッカラ（フィンランド）

photo by HAM

ARTIST

1954 年フィンランド生まれ / 在住。詩的な情緒を併せ持つ作品で知られ、自然と人間の関係性における考え方など、人々の暮らしの中で息づいてきた記憶や伝説を受け入れる作法を制作の基盤としている。

2021　ヘルシンキビエンナーレ（フィンランド）
2017　「ACT」北アルプス国際芸術祭 2017（長野）
2015　「Proportio」Museo Fortuny, Venice（イタリア）
2014　「Open Situation」Museum of Contemporary Art Kiasma（フィンランド）
2003-　大地の芸術祭越後妻有アートトリエンナーレ（新潟）
1995-　Venice Biennale（イタリア）
1995-1997　Istanbul Biennial（トルコ）

SITE　中綱湖

仁科三湖の中間に位置する中綱湖は標高 815m、周囲 2200 m、水深 12 m の仁科三湖の中では最も小さい湖で、農具川で青木湖と木崎湖をつなぐ中間に位置している。「黄金の鐘伝説」が残る湖で、厳冬に湖面が全面結氷すると氷上でワカサギの穴釣りが楽しめる他、毎年 6 月には中綱湖へラブナ釣り大会が開催されている。早朝の風が凪いでいる時間には、湖畔西側の桜並木や秋の紅葉が静かな湖に鏡面反射し、幻想的な情景を映し出す。

COLLABORATORS

協力　中綱自治会のみなさん
素材協力　㈱ LANDSKAP、ほか
機材協力　㈱テクノコア
会場施工　㈱黒部電業舎、㈲上手屋建設
インストーラー　㈱アダチ造形社

何が起こって　何が起こるか

CONCEPT

中綱湖は地震で湖に沈んだ寺院の鐘の音が今も聞こえてくるという伝説が残り、その湖畔には海と山とつなぐ「塩の道」が通る。作家はこの伝説と中綱湖の自然、歴史に触発され、水と塩をテーマとした2つの小屋の作品を中心に、湖に浮かぶ舟や湖畔のベンチ、石仏、鐘の音など、湖畔を散策しながら過去と未来を行き来する作品体験を創作した。

DOCUMENT

2017年芸術祭から続いて参加し、2019年の秋に中綱湖を訪れた作家は、フィンランドの風景を思い出したという。作家の父であるタピオ・ヴィルカラと母のルート・ブリュックは共にフィンランドを代表するクリエイターとして知られており、芸術祭のビジュアルディレクターである皆川明氏とも親交が深い。

中綱湖畔を歩いていくと、絵本をめくるように作品が現われて、来訪者を現在と過去を行き来するような体験へと誘っていく。黄金色の球体が乗った船が静かな湖に揺られており、雨乞いのために陸上の鐘と湖底の鐘を繋げたという中綱湖の伝説を想起させるように、湖畔には鐘の音が響いていた。

桟橋近くのあずまやにあるテーブルとイスは金箔で覆われ、お地蔵さまの前を通り過ぎると、湖畔側には湖を望む金色のベンチがある。丘に建てられた2つの小屋は、水の家と塩の家として展示され、作家が幼いころに描いたエンジェルのドローイングが壁面を覆う。水の家の室内は水で満たされ、鏡面反射する水面に雫が落ちて、静かに波紋を広げる。塩の家の室内は塩で満たされ、来訪者は一歩その室内に入り、雪景色のような清浄な空間を体験する。そして、昔、塩を運んだ湖畔の西側を歩いていくと、小さな池に霧がたちこめた。そのどれが作品であるかどうかは問題ではない。「近所を散歩し、塩の道を歩き、2つの家に入り、共に想う - 古い伝説を。 過去があり、未来がある。もし私のルーツがここにあるとしたら？この場所で世界を感じ、何が起こって 何が起こるか」と考える人生の一瞬が、ここに表現されている。

Lake Nakatsuna is known for an old legend that says the sound of the temple bell that sunk after an earthquake can still be heard, and its shores are connected to the sea and mountains by the "salt road". Inspired by the legend and the nature and history of this lake, Wirkkala has developed a series of works based on the themes of water and salt, in the form of two cottages, a boat on the lake, lakeside benchs, stone Buddhas, and the sound of a bell, conveying the experience of waves of past and future as you stroll along the lakeside. Wirkkala says, "To walk around and take some steps at the salt road. To step into the two houses. To share – to be a part of the old legend. Presence of the past. Presence of the future. What if my roots were here? To feel the global through this local. What has happened. What will happen."

Kimura Takahito (Japan)

木村崇人 (日本)

ARTIST

1971年愛知生まれ／長野在住。「地球と遊ぶ」をテーマに、自然現象を世界の共通言語として捉え、国内外で作品制作やワークショップを行う。代表作に「木もれ陽プロジェクト」「カモメの駐車場」など。

2019　あいちトリエンナーレ（愛知）
2019　台湾麻豆糖業大地芸術祭（台湾）
2010-　「カモメの駐車場」瀬戸内国際芸術祭（香川）
2003-2016　大地の芸術祭越後妻有アートトリエンナーレ（新潟）

SITE　木崎湖畔の空き家

木崎湖は湖面の標高764m、周囲6500m、水深29.5mの湖で、仁科三湖の南端に位置している。湖畔には5000年以上前の縄文時代中期に日本海側から運ばれたヒスイの加工場跡がみられ、中世には仁科氏が湖畔に突き出た半島状の地形を利用し、三方を湖と沼地で囲まれた水城を築いた。城の大部分は現在では集落になっているが、本丸跡には仁科氏や明治以降の戦没者を祀る仁科神社（森城址）があり、サイトになっている空き家の目の前である。

COLLABORATORS

協力　遠藤家、村井家
木崎湖モダンボート、木崎湖周辺のみなさん
素材提供　東京電力リニューアブルパワー㈱高瀬川事業所

Play with Water "The Theatre of Light"

水をあそぶ「光の劇場」

CONCEPT

大町市をかたち作ってきた「水」をテーマに、水がもつ豊かな表情や水のある環境、自然と人がどうつながり関わっていくかのきっかけをつくるアートプロジェクト。木崎湖畔の空き家を舞台に、2階には透き通る湖面の表情をゆっくりと鑑賞する「観るあそび場」、1階では水と遊ぶアイデアを形にする工房兼コミュニティスペースを設け、水と人をつなぐ場を作り出した。アーティストと一緒に考えながら、"観る、触る、聴く、香る、食す"といった五感で楽しむ「あそび場」は木崎湖と人、人と地球をつないでいく。

DOCUMENT

2017年芸術祭でもアートサイトとなっていた空き家を舞台に、地域住民と協働した継続的な活動を視野に入れて始まったアートプロジェクト。2階の光の劇場は、この空き家に昔住んでいた人が、日常的に見ていた木崎湖の美しい風景を改めて「見る」ための空間。高瀬ダムで採取した流木のベンチに座って、左右の鏡がホリゾンタルに広がる暗い室内から木崎湖の景色に没入できる場となった。
1階のラボ（工房兼コミュニティスペース）には作業机が置かれ、真っ青にペイントされた壁に囲まれて、木崎湖に浮かぶスワンボートのひとつを新しくデザインするワークショップを展開。子どもから大人まで、たくさんの来訪者が描いたスワンボートの新しいデザインは、ラボに展示され、芸術祭会期中にはサイトの庭に、木崎湖モダンボートから頂いたスワンボートが設置された。ラボは未だ実験段階であり、今後は集まったスワンボートのデザインから制作を継続していくことを予定している。

Focusing on the theme of "water", which has shaped Omachi City, Kimura creates opportunities for people to relate to and engage with water, with environments encompassing water and nature, and with rich expression in water. In an abandoned house near Lake Kizaki, the upper floor is "a play space with a lookout" where visitors can spend time enjoying the expressions on the surface of the clear lake. The ground floor is "a place connecting water and people", providing a workshop and community space where ideas of playing with water are organized. The "play area" to experiment with all five senses (sight, touch, sound, smell, and taste), thinking in parallel with the artist, will connect Lake Kizaki with people, and people with the earth.

Asai Shinji (Japan)

淺井真至（日本）

ARTIST

1987年東京生まれ／大町在住。絵描き。目の前のこと、今ここの瞬間を更新することに焦点をしぼり、描くこと、物を拾うこと、並べることを通して、場を変容させていく。

2019　個展「どうぞ」ひとり美術館（栃木）
2019　「ARTISTS' FAIR KYOTO 2019」京都文化博物館（京都）
2015　「信濃の国 原始感覚美術祭」（長野）
2011　「open island という名の5人展」千代田3331（東京）
2009　滞在制作「別府現代芸術フェスティバル混浴温泉世界」清島アパート（大分）

SITE　木崎湖畔・旧木崎湖ドライブイン

湖のほとりに静かに佇む、かつてのドライブイン。1960年〜70年代には、木崎湖の夏は湖水浴に訪れる観光客で大変な賑わいだったという。木崎湖ドライブインの1階には土産物が並び、2階では大食堂が営まれていた。しかしその後の自家用車の普及や遊びの多様化とともに活気は失われ、木崎湖ドライブインは閉店。土産物屋兼食堂だった店内には、地元の民芸品やお土産、看板、カラオケシステムや大きな白熊のはく製が雑然と取り残されていた。

COLLABORATORS

協力　遠藤家
音楽制作　あんどさきこ

おもいでドライブイン

CONCEPT

絵描きの作家が「場と仲良くなる」ことから始まった滞在制作。木崎湖ドライブインの現状と、取り残された民芸品やお土産を観察して見えてきた「おもいで」を舞台に、「絵を描く」という行動（ドライブ）によって場が変容していく。言葉にできない絵と場の対話から生まれた作品。

DOCUMENT

2020年2月より作家とサポーターによる大掃除を開始。室内を覆うツタを取り払い、かつて営業していた時のままに放置されていた場を少しづつ整理し、高さ250㎝を超える白熊のはく製を移動させて床をモップがけする。玄関先の重い窓ガラスを外してサッシを拭き、サッシの溝や道路を高圧洗浄して、現地に取り残されていた置物やお土産品を仕分けしていく。そうやって作家は、場を清潔にすることから、ゆっくりと場との関係性を構築した。

ドライブインに取り残されていたモノと、外から持ってきたモノを集積させて組み合わせたり、絵を描いて絡ませたり、大きな鳥が巣を作るように始まった現地制作。床の一部は星座のような形に剥がされ、室内を仕切るガラスや壁がキャンバスになる。取り残されていた置物やお土産品との対話から生まれた小さな絵画作品が民芸品と並んでパズルのように配置され、室内の中心に創作された船は、水彩画の帆をたてる。そうやって、鉱石が爆発しているかのような大きな壁画を中心に、展示空間全体がコラージュされていった。そして、作品のどこか鉱物的な気配とコラボレーションする形で、音楽家のあんどさきこが作曲した音楽が展示空間に流れた。また、展示期間中は作家本人によるお守りの有人自動販売機が作品前の公園に出現した。

Standing silently at the side of Lake Kizaki is a building that used to be a shop. Several decades ago, the lake was full of people in the summer, visiting to bathe in the lake, where many yachts floated in the wind. Inside the building that was once a souvenir shop and canteen, some souvenirs and signs, a karaoke system, and a big white bear were abandoned. This work sets the state of the shop at Lake Kizaki and the memories of things left behind as a stage, transforming it into a place of action – a drive towards 'painting'. It is a work born out of a non-verbalized conversation between painting and place.

Mochida Atsuko (Japan)

持田敦子（日本）

ARTIST

1989年東京生まれ / 長野在住。既存住宅の一部を円形にカットし回転させた「T家の転回」など、日常空間や公共空間に介入し、空間の意味や質を変容させるような建築的なインスタレーションを行う。

photo by Pezhman Zahed

2021　「Open Storage 2021」MASK（大阪）
2019　リボーンアート・フェスティバル2019（宮城）
2018　「近くへの遠回り―日本・キューバ現代美術展」（ハバナ）
2018　Young Talent Programme, Affordable Art Fair（シンガポール）
2017　「C/Sensor-ed Scape」トーキョーワンダーサイト本郷（東京）
2017　「Desintegriert Euch!」Maxim Gorki Theater, 3.BERLINER HERBSTSALON（ベルリン、ドイツ）

SITE　美麻地区・旧教員住宅

美麻地区は2006年に大町市と合併する以前は、北安曇郡美麻村と呼ばれた山村で、村名は麻の産地であったことに由来している。1950年には717戸3988人が暮らしていたが、現在は人口約860人に減少している。サイトは湯ノ海集落の川沿いに並ぶ2棟の平屋住宅で、かつて大町市立美麻小中学校の教員住宅として利用され、一時期は南側に教頭先生、北側に校長先生が住んでいたこともあった。芸術祭終了後の2022年春に解体された。

COLLABORATORS

会場施工　野口建設㈱
電気工事　㈱黒部電業舎
インストーラー　武藤崇生、緒方大三郎、木村泰平

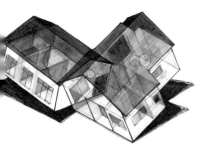

Collusion (or Rupture)

衝突（あるいは裂け目）

CONCEPT

大町は日本列島を東西に分断する大地溝帯・フォッサマグナの西の縁に位置し、糸魚川静岡構造線が市内を貫いているという地質的な特徴がある。火山活動などによって隆起した北アルプス山脈や、構造線に沿ってできた断層構造湖である仁科三湖など、大地が地殻変動する力を各所で感じることができる。

長い年月をかけて地殻が衝突し、隆起し、削り取られてきたこの土地で、作家は家という不動であるはずのものを動かし、変化させることに挑んだ。一方の家の一部が飛び出し、隣り合う他方の家へまっすぐにぶつかり、せり上がり、重なり合う。この非日常的な光景のインスタレーションは、大町という土地のもつ地質的な背景から着想を得て生まれた。隣り合う2軒の家というごく当たり前な関係が崩壊したことで、鑑賞者それぞれが自らのイメージを補完し、再構築する。

DOCUMENT

作家は北アルプスを仰ぐ大町に訪れ、その地質的な特徴に注目した。何億年の時をかけて地殻プレートが衝突して隆起するように、隣り合う2軒の家がぶつかって持ち上がるように重なり合う計画に合わせ、解体を前提としていた旧教員住宅が作品のサイトとして選ばれた。

作家と地元建設業者や建築専門家参加のもと、南側の家を断層的に切り取り、北側の家にめり込ませる方法が精査された。床下から、台所のシンク、和室の押入れ、天井裏、そして屋根までを幅1mほどの垂直に切り取られた断面は、どこかミニチュアの家のようでもある。切り取る部分全ての部材にマークをつけて切断し、部材ごとに解体されたが、天井や床材など痛みが激しく脆い部分や、窓のサッシなどの硬い部分は困難な作業だったという。そして、切り取った部材を南側の家にめりこませた形で再構築することで、2つの家の異なる日常が衝突し、非日常の裂け目が現われた。

In Mochida's installation work, two neighboring houses are transformed into something extraordinary. A severed section of one of the houses collides with the other, and is lifted into it. This work focuses on a geographical characteristic of Omachi – it is positioned at the point in Japan where the Fossa Magna rift between east and west crosses the fault between north and south. Viewers are struck by the unexpected view of the cross section of a house built into another structure. In a location formed by tectonic activity, Mochida's work moves and transforms houses, which are conceived of as immovable.

批判的地域主義としてのアート

五十嵐太郎　建築史家 / 東北大学大学院教授

筆者が大学生だった 1980 年代、都市のパブリック・アートは存在していたが、カントリーサイドにおけるアートを目撃したことがなかった。それゆえ、院生になって、クリスト＆ジャン・クロードのアンブレラ・プロジェクト（1991 年）を自動車でまわった体験は、今なお鮮烈な印象として残っている。が、21 世紀に入り、越後妻有アートトリエンナーレが始まってからは、もはやめずらしいものではなくなった。瀬戸内国際芸術祭や奥能登国際芸術祭なども続き、今どきの学生はこうしたアートを最初から当たり前のこととして受容している。特筆すべきは、ホワイトキューブから解き放たれた作品が、しばしば空き家や地方の風景に介入し、建築的、あるいはランドスケープ的な性格を獲得していることだ。すなわち、その場でしか成立しえないサイトスペシフィックの作品である。こうした建築とアートの交差、あるいは建築家の参加は、越後妻有以降に顕著になった動向だろう。また 90 年代後半から注目されるリノベーションも、新築と違い、アートが参入しやすいプラットフォームとして機能している。

北アルプス国際芸術祭では、作家として建築家は参加していないが（会場構成などでは関与）、やはり建築的 / 風景的な作品は大きな役割を果たしている。特に興味深いのは、持田敦子のあっけらかんとしつつも、迫力をもつ「衝突（あるいは「裂け目」）」だった。彼女が東京藝大の在籍時に制作した「T 家の転回」（2018 年）は、リチャード・ウィルソンの「場の回転」（2008 年）のように、切断された建築の一部が回転するプロジェクトだが、建築界でも話題になっており、以前から作品を見たかった作家である。「衝突（あるいは「裂け目」）」は、旧教員住宅の中央部分を切り取って移動し、隣家の真ん中に斜め方向で貫入するものだ。アートの文脈では、ゴードン・マッタ・クラークの切断、建築の分野では、プレートテクトニクスの比喩も動員したディコンストラクティビズム（脱構築主義）のデザインを想起させるだろう。また個人的には、地震よりも、津波の被災地で目撃した建築の移動と破壊の状況と似ている。もっとも、こんなにきれいな断面は自然災害で生じない。机やキッチン台も、仮想の面によってすっぱり切り取りられている。こうした鋭いデザインの感覚は、ディラー＋スコフィディオのインスタレーションや、打開連合設計事務所のリノ

ベーション、あるいは、いがらしみきおの恐るべき漫画『sink』に近い。ともあれ、アートならではの面白さは、2 つの建築の重なりだろう。場所を占有する建築は、同じ敷地に 2 つ存在することができない。しかし、アートにはそれが可能だ。かくして教員の平凡な家屋が、徹底的に異化される。保存が難しいとはいえ、会期の終了後に解体されるのがもったいない力作だ。

建築的な作品としては、目による「信濃大町実景舎」も挙げられるだろう。これはリノベーションによって伊東豊雄の台湾国立歌劇院のような丸みを帯びた空間を生みだしているが、眺望の場を提供していること、スケールの圧縮によってさらに身体に訴えること、屋根裏や梁などの既存構築物との衝突などの新しい効果をもたらす。

新しい風景をつくる磯辺行久とトム・ミュラーの作品も忘れがたい。前者は七倉ダムにおいて風の流れを可視化した壮大なランド・アート、後者はとんでもない巨石の下部から定期的に霧を噴霧する。磯辺は 1970 年代の初頭にアメリカの大学において、イアン・マクハーグの

もとで環境計画を学び、大きく作風を変えたアーティストだ。マクハーグは、『デザイン・ウィズ・ネイチャー』（1969 年）の著作で知られるように、生態学的な視点を導入する地域計画を唱えたランドスケープ・アーキテクトである。磯辺の作品「不確かな風向」も、エコロジカル・プランニングをもとに、ダム建設がもたらした自然環境の変化をテーマとしつつ、風の挙動を作品化したものだ。ちなみに、この作品を訪れることで必然的に、自然石を積みあげた傾斜面をもつロックフィルダムも見ることになるのだが、治水のためにつくられた凄まじい人工的な構築物である。建築とは桁違いのスケールで展開される土木的な景観に圧倒された。巨石を活用したミュラーの作品も、普段は観光地でない場所らしいが、アートを通じて、自然の驚くべき造形を発見する機会を設けている。ちなみに、霧を噴霧していない時間帯も、上から水が落ちているが、これは作品の一部だった。

　この 2 作品に共通するのは水なのだが、今回初めて北アルプス国際芸術祭の各エリアをまわり、確かに水の風景がほかの芸術祭にはない大きな特徴であることを理解した。例えば、マーリア・ヴィルッカラの湖伝説にもとづくインスタレーション、湖を背景とした杉原信幸によるクリスタルの箱舟、木崎湖のスワンボートを題材とする木村崇人、平田五郎の水盤、ヨウ・ウェンフーの田園アート、現在は閉鎖された酒の博物館における松本秋則のモビール群などである。皆川明は、芸術祭のロゴ・マークとして「水、木、土、空」のイメージを組み合わせているが、起点となるのは水だ。ところで、建築においてナショナリズムなどの大きな物語に回収されることなく、固有の場所性を覚醒させるデザインを批判的地域主義と呼ぶ。これはアレクサンダー・ツォニス＋リーアヌ・ルフェーヴル、あるいはケネス・フランプトンが提唱する概念だが、アートにも適応できるだろう。土地や既存の建築がもつ潜在的な魅力を視覚化したり、独特な経験として昇華させるのが、アートの力のひとつだということを再認識させる芸術祭だった。

＊五十嵐太郎「批判的地域主義再考──コンテクスチュアリズム・反前衛・リアリズム」（『10+1』18 号、1999 年）
https://db.10plus1.jp/backnumber/article/articleid/923/

Aoshima Samon (Japan)

青島左門（日本）

ARTIST

1980 年静岡生まれ / 在住。彫刻、絵画、コンセプチュアルアート、舞台美術、絵本など多様な表現手段で、文明が自然に調和するための方法や、「いのちとは何か？」を探求する。

2018 「赤と青のひ・み・つ」MIHO MUSEUM（滋賀）
2017 「花咲く星に」北アルプス国際芸術祭 2017（長野）
2016 「春宵に花たゆとう」志賀高原ロマン美術館（長野）
2014 「ほわほわ」若山美術館（長野）
2007-08 「日韓現代美術交流展」BankART Studio NYK/Moran Gallery（ソウル）

SITE　美麻地区・二重屋内ゲートボール場

今回会場となった屋内ゲートボール場は、標高 900m の高地にあり大町の中でも雪が深い美麻地域にある。標高が高い農地では、昼と夜の気温差が大きく昼間の光合成でつくられた栄養分がしっかり蓄えられること、生育がじっくり進むことから、うまみが濃縮された農産物ができるといい、美麻地区の特産品には蕎麦や花豆がある。ゲートボール場は二重高齢者多目的広場としても整備されたようである。

COLLABORATOR
インストーラー　今井伸悟

東山エリア

Memory of Life

いのちの記憶

CONCEPT

屋内空間に漆黒の銀河を作り出した体験型インスタレーション作品。入口から建物の中へ進み、深い闇の中で目を凝らすと、星空のような無数の光が見えてくる。唯一外とのつながりを保つ光ファイバーが自然光を暗闇に取り入れ、天候によってゆっくりと呼吸するかのように光の色や明るさが変化する。星の瞬きを想起させるようなそれらの移ろいを見つめながら、鑑賞者は大気の動きや地球の息吹、穏やかな時間の流れを感じ、自身もまたその中にある生命であることを優しく思い起こさせる。

DOCUMENT

作家が 2017 年芸術祭で発表した、夜の中山高原に花の星が踊るような幻想的な作品「花咲く星に」の姉妹作とも言える作品。今回、作家がサイトとして選んだのは美麻二重の屋内ゲートボール場。屋内と屋外の両方の要素を持ち、境界が曖昧で面白さを感じる空間に、入れ子構造の高さ 2.4m、幅 4.5m、奥行 14.5m のフラットな暗室を構築した。ゲートボール場のような曖昧さは、暗室の壁にも活かされている。内側の壁を黒くすることで壁の存在が曖昧となり、鑑賞者の視覚を含めた全ての感覚を研ぎ澄ます。

本作では、光ファイバーの末端の切り口に入る光が、逆端に運ばれる物理的な性質を利用している。作家は暗室の奥の一面に 7000 を超える穴を開け、それら全てに光ファイバーを通すことで、内と外の光を有線で結んだ。外に設置された光ファイバーの末端には透明な素材に色付けされた風車が設置され、風が吹くことによって自然光の明るさや色味が変化し、その光を直接的に屋内の暗室に届ける。そこで描かれた銀河のような図象の星々が瞬くように変化することによって、自然の新しいアウトプットを目撃した。

鑑賞者は地元ボランティアの誘導によって少人数で屋内へと導かれ、ゆっくりと暗闇に目を慣らすことから作品体験が始まる。ゆっくりと現れる太陽の光が瞬く銀河へ、自分のペースで歩いていく行為も含めた、体験型の作品となった。

This interactive installation work is a galaxy of absolute darkness within an indoor space. When a visitor enters the building and stares into the darkness they see countless lights, like the starry sky. The optical fibers which bring natural light into the space, as the only connections to the outside, flicker as the brightness of the light changes, as if they were breathing slowly in accordance with the weather. Looking into these changing lights that evoke the flickering of stars, viewers feel the movement of the atmosphere, the breath of the earth, and the slow passing of time – gentle reminders that they themselves are living creatures in it.

[mé] (Japan)

目（日本）

ARTIST

2013年より活動する現代アートチーム。中心メンバーはディレクターの南川憲二、アーティストの荒神明香、制作統括の増井宏文。果てしなく不確かな現実世界を、私たちの実感に引き寄せようとする作品を展開している。

2019-2021 「まさゆめ」Tokyo Tokyo FESTIVAL スペシャル13（東京）
2019 「非常にはっきりとわからない」千葉市美術館（千葉）
2017 「信濃大町実景舎」北アルプス国際芸術祭2017（長野）
2016 「Elemental Detection」さいたまトリエンナーレ2016（横浜）
2015 「憶測の成立」大地の芸術祭越後有妻アートトリエンナーレ（新潟）
2013- 「迷路のまち～変幻自在の路地空間～」瀬戸内国際芸術祭（香川）

photo by Tsushima Takahiro

SITE　鷹狩山山頂の空き家

北から霊松寺山（1128.6m）、鷹狩山（1167m）、南鷹狩山（1147.4m）と続く山塊は、大峰山地と総称され、地元では北アルプスの「西山」に対して「東山」と呼ばれている。鷹狩山の山頂からは、北は白馬岳から南は常念岳、蝶ヶ岳というワイドなパノラマで、北アルプス・表銀座の山々（燕岳、大天井岳）が展望できる。会場となった建物は、築100年以上の古民家を1982年に現在の場所に移設し、大黒天の本堂として利用されていた。

COLLABORATORS

会場施工　竹村塗装店
制作　岩瀬圭司、辻村裕二、平塚知仁、櫻井駿介
深野元太郎、松枝昌宏、廣中里沙、東有輝
渡邉博紀、牛山秋良、本間大悟
プロダクトマネージャー　平松繭子
制作アドバイザー　野地真隆
制作サポート　ボランティアサポーターのみなさん

東山エリア

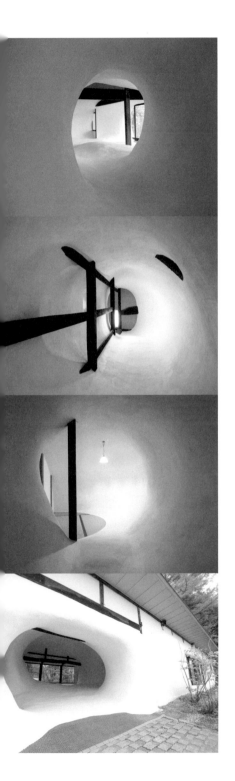

信濃大町実景舎

CONCEPT

鷹狩山の山頂から眺める大町の風景。北アルプスの巨大な峰の塊と、その麓に広がる人々の繊細な生活空間。どこか対照的にも思えるその光景は、それぞれが異なる単位の質量で形成され、両者が同時にあることが唐突であるようにも感じられる。しかしそれらは、同じ空間上に存在するひとつの膨大な体積の物体として、圧倒的にそこにある。

山頂に近づいたところで現れる大きな木造の建築物は、漆喰で覆われた外壁が建物の内側の空間へと延長され、窓から建物の内側へ向かう大きな穴がのぞいている。建物の外部（あるいは外壁の内部）の空間には、階段や古い壁紙など、元々屋内にあった景色の形跡が残る。その屋内空間のノスタルジックな既視感の中に、縦横無尽な導線のフィジカルな体験は、鑑賞者を既存の景色から切り離し、物理的な座標空間の上に立たせる。そして、その真っ白な空間の中に浮かび上がる「柱や欄間」と、窓からのぞく「風景」の唐突な関係に気づくとき、信濃大町の風景を形成していた質量の一部として、その存在を対峙させることになるだろう。

DOCUMENT

2017年芸術祭で発表された、現代アートチーム目による本作品は、鷹狩山の山頂からのぞむ圧倒的な北アルプスの山並みと信濃大町の風景を見るための装置として構想された。山頂の眺めは、大町の市街地から山裾へと延ばされた道から鷹狩山の険しい山道を登った導線の先にあり、本作は鷹狩山の山頂風景に辿り着く最後の導線として考えられている。建物の外壁が巣穴のような入口からシームレスに内壁へとつながる構造の白い曲線に包まれた空間を進むうちに、突如北アルプスと大町市街を見渡す風景が視界に飛び込んでくる。傾斜をのぼって家屋の梁や天井をまたいだり、潜ったりしながら緩やかにカーブする真っ白な漆喰の空間の居心地の中で、北アルプスの山々に身を寄せることができる作品。

The landscape of Omachi, looking out from the top of Takagariyama Mountain, features the presence of the gigantic mountain range of the Northern Alps and the delicate living space at its feet. The mountains exist, overwhelming, an enormous volume of one thing, an extension of the same space. The wooden building that appears to visitors when they near the top of the mountain, through a forest path, has an entirely plastered exterior that extends indoors through a hole like a burrow, leading them to a physically coordinated space that seems indifferent to the original floor plan and levels. When they notice the relationship between the pillars and the ranma (transoms) inside the absolutely white space, and the landscape outside of the window, they feel the presence of the work as part of the whole landscape of Shinano-Omachi.

Kikuchi Ryota (Japan)

菊地良太（日本）

ARTIST

1981年千葉生まれ/在住。フリークライマーとしての独特の視点を美術表現へと変換させ、都市や風景に内在する様々な領域や境界線等を可視化させる作品を発表している。

2019 「尊景」鉄道博物館（埼玉）
2018 「そとのあそび展~ピクニックからスケートボードまで~」市原湖畔美術館（千葉）
2018 hiromiyoshii Roppongi × SIDE CORE in 六本木アートナイト（東京）
2018 「知景」KANA KAWANISHI GALLERY（東京）
2017 「STREET MATTERS」（東京）

photo by Mishima Ichiro

東山エリア

SITE　鷹狩山展望台

鷹狩山という山名は、鷹の幼鳥を捕獲して飼育し、松本藩に献上していた御鷹山だったことに由来している。松本藩では代々の藩主に鷹匠（たかじょう）が仕え、鷹狩山には山中に4カ所の鳥屋があったそうで、八坂地区の住民は藩に鷹を献上する役（鳥屋番）に任せられていたという。
1987年に竣工した鷹狩山展望台は、中2階の展望室と屋上に双眼鏡が設置されており、北アルプスと大町市街地を一望できる。

COLLABORATORS

撮影場所協力　須沼神明社、いっし・あーとすぺーす
大町市運動公園、大町市文化会館、ほか
制作サポート　神谷紀彰、森山泰地

Observatory for Sonkei (Respectable Landscape)

尊景のための展望室

CONCEPT

フリークライマーとして活動し、「人間が行けるところと、行けないところの境はどこにあるのだろうか？」と問う作家は、環境を認識する手段として身体を活用する。鷹狩山展望台から望む信濃大町の雄大な景色を前にした作家は、山の視点で人を見ると、ボードゲームのコマみたいな存在かもしれないと感じたという。そこで自らの身体をボードゲームのコマに見立て、信濃大町の景色に入り込むパフォーマンスを記録した写真によるインスタレーション作品を発表し、身体を対話手段として、常識の限界に迫っていく。

DOCUMENT

作家が当初撮影を予定していた古い鉄塔は、コロナ禍で制作が止まっている間に撤去されていたため、改めて撮影場所を探すこととなった。作品制作のための撮影候補場所として訪れたのは、中綱湖、簗場駅、高瀬渓谷、大町市運動公園、大町市文化会館、須沼神明社などである。作家は、アーティストであると同時にクライマーでもあり、自由にどこまでも移動できてしまう。

高瀬渓谷周辺のリサーチでは、普段人が入らない場所から、普通の人なら登り下りできない急でごつごつとした崖や、かなり高低差のある川のほとりまで、身軽にスイスイと移動していた。その場所の特性を理解するため、一歩一歩道なき道を観察し、自らの足と体を最大限利用し、体を通して情報を記憶していく。

展示会場である展望台の双眼鏡からは、鑑賞者は大町を一望し、双眼鏡で作家のアプローチした場所を探すことができる。その横に設置された双眼鏡に模したVRゴーグルからは、360°カメラで記録した、大町市運動公園のモニュメント彫刻に登る作家の様子を見ることができる。

As an active free-climber, Kikuchi questions where the border lies between the places humans can and cannot go, and he uses his body to understand the environment. In front of the magnificent view of Shinano-Omachi from the observatory on Takagari Mountain, he felt as though, from the perspective of the mountain, a human is a presence like a piece in a board game. He configured his body as a piece, and sneaked himself into his photographs of the landscape of Shinano-Omachi, using these images in his installation work. Viewers can use binoculars in the observatory to search out the spots where the artist appeared.

Yu Wenfu (Taiwan)

ヨウ・ウェンフー〈游文富〉（台湾）

ARTIST

1968 年台湾生まれ / 在住。主に竹を素材とし、ささやかではあるが感性を刺激するインスタレーションを制作。台北の美術館を竹で覆うなど、膨大な手仕事によるダイナミックな作品も得意とする。

2022　個展「兼ぁ蒼蒼 (Jianjia Cang Cang)」Chajia Tearoom 798 ArtDist（北京・中国）
2018　「Mountain」台中フローラ世界博覧会（台中・台湾）
2017　「Reweaving」QCC Art Gallery, CUNY &Godwin-Ternbach Museum, Queens College（アメリカ）
2016　個展「The Reflection」銀川当代美術館 （寧夏・中国）
2015　個展「Feather Dream & Bamboo Quest」台北当代芸術館 （台湾）

SITE　八坂地区・神出

北安曇郡八坂村は 2006 年に大町市と合併して大町市八坂地区となった。犀川の支流である金熊川が地区の中心を北から南へと流れ、その両側に 1000m 級の山々が南北に連なっている山村である。サイトになった神出は金熊川の瀬替えで生まれた。大岩を砕いて蛇行する川の上流と下流を繋ぎ、元の流路を田んぼにしたのである。その歴史からは、中山間地の農業の厳しさと、米作りにかける昔の人々の情熱を感じることができる。

COLLABORATORS
素材協力　丸山晃孝、北澤豊繁
制作協力　八坂地域づくり協議会、一絵会、八坂中学校
サポーターのみなさん
インストーラー　今井伸悟
助成　台湾文化部

心田を耕す

CONCEPT

里山の暮らしが色濃く残る八坂地区を舞台に、夏秋の田園風景と冬の雪景色を調和させるランドアートプロジェクトが始動した。グラデーションに着色された約50万本の竹ひごを、地域住民と協働して田植えのように植えていく制作プロセスには、毎年繰り返し田畑を耕すことを通して、土地に対する深い感情と強靭な意志を積み重ねていく農民の力が宿る。作品名にある「心田」は日本語の心地、心根とも似た「心の在りよう」を示す中国語からきている。実際の田んぼに足を踏み入れ、人と人、人と土、そして人と万物の親密な関係性から、自らの心を耕す美しさが表現されている。

DOCUMENT

2019年に信濃大町を訪れた作家は、豊かな山と田園風景、そして美しい竹林とその文化に興味を惹かれた。特に作品を制作した八坂地区では、作家の故郷である竹山（ジューシャン）を思い起こし、その時に出会った地元の人たちが、自然との距離が近い人たちだと感じたという。当初は作家が来日して住民と交流し、約2か月の制作期間をかけて八坂公民館を竹で覆う作品を計画していたが、コロナの影響で来日ができずに断念した。

しかし、2017年の芸術祭で作品制作に携わった地域の皆さんの後押しもあって、リモートでの作品制作を決定。台湾で加工し、白から黄色のグラデーションで4色に塗装された約50万本の竹ひごを日本に輸送した。本作は農民の田植え作業と同じ動作で、地面に竹串をひとつひとつさしこんでいく動作を何万回も繰り返す。八坂地区の爽やかでパワフルな協力のもと、総勢120人を超える人たちの手によって、神出に心の田んぼが現れた。一生をかけて、毎年繰り返す田植えと稲刈り。収穫は天候次第で予想通りにはいかず、それでもまた来年、同じように命をかけて稲作と向き合う人間の「意志と精神」が表現されている。

Combining the rural landscape of summer and fall with a snowy view from the Yasaka area, where the satoyama lifestyle is still strong, Wen-fu produced a land art project. Working with the local community, the artist placed 500,000 bamboo strips in color gradation – a process that, like planting rice, demonstrates the strength of farmers, whose deep feeling for their land and powerful will is developed through the repeated annual cultivation of the fields. "Field of Heart" in the title refers to the Chinese phrase "how the heart is", which relates to "feelings" or "nature" in English. Stepping into this rice field opens the opportunity to cultivate your own heart, to feel the intimate relationships between people and other people, people and the land, and people with all other things.

Ekaterina Muromtseva (Russia)

エカテリーナ・ムロムツェワ（ロシア）

ARTIST

1990 年モスクワ生まれ / 在住。2012 年モスクワ大学哲学科卒業後、個人的・集団的記憶を探る抒情詩的作品を制作しているビジュアル・アーティスト。インスタレーション、ビデオ、グラフィック、社会参加型アートなど、様々なジャンルで制作を続けている。2020 年にForbes Russia イノベーション賞を受賞。

2019 「Something that happens to others」Moscow Museum of Modern Art（ロシア）
2018 「Quarter to twelve」XL Gallery（ロシア）
2018 「Vasya was here」Dear visitors, Garage Museum of Contemporary Art（モスクワ、ロシア）
2018 「In this country」Steirischerherbst festival（グラーツ、オーストリア）

SITE　盛蓮寺

内陸の長野県松本市と海辺の新潟県糸魚川市を結ぶ延長 30 里（約120km）の「塩の道」千国街道は、海からは塩や海産物を、山からは大豆やたばこを運ぶ交易の道であった。大町はその中間点にあたり、かつては荷継ぎの宿場町として栄えた。会場となった盛蓮寺は大町宿から池田宿に向かう塩の道沿いにある。重要文化財の観音堂は室町時代の特徴を持つ松本平最古の寺院建築であり、本尊の如意輪観音像を始め 4 体の仏像が市の指定文化財とされている。

COLLABORATORS

協力　盛蓮寺檀家
作品モデル　地元住民のみなさん
音楽　Davor Vincze

東山エリア

全てもって、ゆく

CONCEPT

大町市は昔、塩の道千国街道の宿場町として栄え、60kg以上の荷を背負って日本海から雪深い山道を運ぶ「歩荷」という壮絶な仕事があった。作家はこの歩荷のふるまいに興味をもち、北アルプスを仰ぐ盛蓮寺で2つの作品を発表。境内の土蔵では、塩の道を歩く人々の姿を壁面に写しだした影のインスタレーション作品、本堂では住民との交流を通して、等身大で描いた「大切なものを運ぶ人」の水彩作品を展示した。作家は問いかける。「私たちは皆、人生の荷物（希望、欲望、記憶）を背負って歩んでいる。その荷物を肩から下ろし、純粋な魂で前進し続けることができるのだろうか？」

DOCUMENT

作家は今回の視察で初めて日本に訪れ、北アルプス山麓に暮らす文化の美しさに感銘を受けたという。そして、塩の道千国街道で荷を運ぶ歩荷に興味を持ち、地域住民と交流しながら、この地域に暮らしている人たちが大切にしているものを描きたいと今回の作品を構想した。

本作は2つの作品で構成されている。境内の土蔵に吊るされた青い透明なフィルムには、塩の道を歩く人々がモチーフとして描かれ、映像と影で空間の中に幾重にも重ねることで、その重層的な意味を表現したインスタレーション作品。

本堂に展示された作品は本来、作家本人による地域住民との絵画セッションを通して制作される予定であったが、コロナの影響で断念。作家は盛蓮寺の檀家さんや地元の子どもたちとビデオメッセージやインタビューで交流し、作品を制作。「あなたにとって大切なもの」を持ち寄って頂き、背負って歩く姿を撮影するフォトセッションを行い、地域の人々が作品のモデルとなった。

芸術祭会期中には、檀家さんの好意で盛蓮寺本尊の御開帳があり、美しい如意輪観音像を拝むことができた。

Omachi was once a flourishing post town on the "salt road". One of the jobs conducted at the time was a heroic task – carrying a 60kg load on foot from the Japanese Sea over mountain passes covered with thick blankets of snow. Fascinated by this activity, Muromtseva presented two works at Jorenji, overlooking the Northern Alps: moving figures of people carrying heavy packs, or perhaps souls, projected on the wall of a warehouse in the shrine area, and a life-size watercolor painting of "people carrying something important" displayed in the main hall. This piece was created through painting workshops with local residents. The artist poses this question: "We all carry the burdens of life – hopes, lusts, and memories. Can we offload such luggage and keep moving forward with pure souls?"

エカテリーナ・ムロムツェワ「全て、もっていく」

鴻野わか菜　早稲田大学教育・総合科学学術院　教授 / ロシア東欧文化

　ムロムツェワは 2019 年冬、視察で大町を訪れた際、大町がかつて、松本と糸魚川を結ぶ塩の道千国街道の宿場町として栄え、60 キロ以上の荷を背負って山道を運んだ人々（歩荷）がいたことに関心を抱いた。作家は「大町で一番興味を持ったのは、地域の物語だった。人は自分が暮らしている場所の特性と切り離せない」と語り、塩の道を運ばれた重荷を哲学的に解釈し、「私達は皆、人生という荷物を運んでいる。希望、欲望、記憶という荷物を」と考え、それを主題に盛蓮寺で 2 つの展示を行った。

　本堂では、地域の住民とコラボレーションして制作した水彩画の連作を展示。作家は事前に 20 分ほどのビデオレターを作り、「あなたの人生の中で大切にしているものを持って来て頂いて、それを抱えたり背負っている姿のシルエットを描きたい」と語り、作品の趣旨を丁寧に説明した。それを受けて地域の住民も作家へのビデオレターの中で、自分の大切なものを見せ、それがどんな意味を持っているかを語った。愛犬を連れてきた中学生、お気に入りのぬいぐるみを持ってきた保育園児、「こどもの日」に買ってもらったサインペンを持ってきた、絵を描くのが好きな女の子、農作業で使う背負子を背負ってきた男性、60 年ほど前まで家で蚕を飼っていて、当時、小学生だった自分も使った、桑を運ぶためのかごを持ってきた 70 代の男性などが、大切なものの来歴を語り、作家は彼らの姿を映像で見て、等身大の水彩画を制作した。

　一方、寺の土蔵では、重い荷物や鞄を運ぶ人々の姿を青い透明なプラスチックのシートに描いて制作した影絵が、本作のためにクロアチアの音楽家が作曲した音楽と共に上映された。そこには、過去の人々と現在の人々が描かれ、幾重にも重なる層によって、過去と現在のつながりが表現されている。また、そのプラスチックのシートも展示され、アニメーションを作るプロセスそのものを作品として提示している。ムロムツェワは、「この作品によって私は問いかけたい。私達は自分の荷物を下ろして、純粋な魂で前に進むことができるのか。宗教も芸術も、それを可能にする仲介者であると思う。仏教寺院は、あなたが不要なものを下ろして、瞬間を感じ始めることのできる場所である」と語る。

　本作は、これまでムロムツェワが追求してきた主題や

技法を継承するものでもある。2018 年、ムロムツェワは、20 世紀初頭のロシア象徴主義の詩人アレクサンドル・ブロークの叙事詩『十二』をテーマにした作品「12 時 15 分前」をモスクワで発表した。『十二』は、猛吹雪の街を夜更けにパトロールする 12 人の革命赤軍の兵士たちの物語であり、ムロムツェワは、極限状態の中で歩き続ける彼らの姿を影絵で表現している。「12 時 15 分前」と「全て、もっていく」の双方において、（吹雪の中で、あるいは重荷を背負って）「困難な状態で歩くこと」は、人生を象徴している。大町で展開されたムロムツェワの作品は、作家がかねてより追求してきた主題が土地の歴史や物語と融合して化学変化のように生まれた作品である。

　「全て、もっていく」が、地域の住民との交流を基盤として制作されたように、ムロムツェワの創作の根底にはつねに、他者との交流への希求がある。2015 年には、ロシアの地方の高齢者介護施設で、作家は数週間、入居者と共同生活を行いながら、彼らと共に施設の壁に何枚

もの壁画を描いた。このプロジェクトに関してムロムツェワは、「私にはアーティストとボランティアの境界がどこにあるのか分からない。どんなアーティストも、〈人生〉という巨大な組織のボランティアなのかもしれない」と語っている。

　2020年の外出自粛期には、アーティスト・イン・レジデンス先のクロアチアの首都ザグレブで、あらゆる美術館やギャラリーが閉館する中、自分が暮らしていたアパートのバルコニーで自分や他のアーティストの作品を展示し、道行く人の目を楽しませた。「これは、アートが人の気持ちを明るいものにしてくれるという良い例で、希望かもしれない」と作家が語ったように、「バルコニー・ギャラリー」は、パンデミック期のアートの新たなコミュニケーションのあり方として内外で注目を集めることとなった。また2021年には、「あなたが歴史や政治、大きな世界について真剣に意識した瞬間はいつでしたか」という質問を同世代の人々に投げかけ、そこで聞いた物語を作品にしている。

　このようにムロムツェワは、多様な人々との対話と共感に基づく視覚芸術を求めてきた。作家が大町の住民に宛てたビデオレターの中で、「皆さんに伝えたいのは、人と関わりながら作品を作ることが、私にとってとても

大切だということ。なぜなら、アートは異なる文化や背景を持つ人々がコミュニケーションすることができる特別な方法であり、どんな人でも理解し合えると信じているから」と語ったように、コロナ禍で国境が閉ざされた時代にムロムツェワが地域の住民と制作した本作は、どんな状況においても他者との交流は続き、アートがそれを支えていくのだという希望を伝えている。

MUM&GYPSY × minä perhonen （Japan）

マームとジプシー×ミナ ペルホネン （日本）

Letter

CONCEPT

他ジャンルの作家と共作するなどあらゆる形で作品を発表し、注目を集める演劇カンパニー・マームとジプシーと、芸術祭のビジュアルディレクター皆川明がデザイナーを務めるブランド、ミナ ペルホネンによる共同作品。ミナ ペルホネンが 2011 年より週に 1 回配信してきた『Letter』で "ここに在る" 気持ちを手紙に書くように綴り重ねた約 10 年分の言葉を、マームとジプシーの藤田貴大が抽出し、物語として再構成した。衣装や美術にはミナ ペルホネンのファブリックが用いられている。会場では、森の中を歩いて迷い込んだ先に劇場が現れるような導線や、手紙のようなデザインのパンフレットなど、作品の世界に入るための演出が随所に見られた。公演は夜と昼の 2 度行われ、夜は暗闇の中に劇場が浮かび上がり、昼は秋の爽やかな木漏れ日が差し込み、それぞれ異なった表情を見せた。

For this piece Mum&Gypsy, a group led by Takahiro Fujita, collaborated with the fashion and textile brand minä perhonen, whose designer, Akira Minagawa, is visual director of this festival. Words from Minagawa's "Letter", a series of texts he has written and distributed once a week since 2011, were restructured by Fujita, and played by actors wearing costumes made with minä perhonen fabrics to create a story. The seasons shift from spring to summer, autumn to winter, and the utterances of humans and animals spread into the space as though they are resonating, creating an experience with a sense of immersion. This piece was performed twice a day – in the daytime and at night – merging with nature as an outdoor play.

PERFORMANCE

［場所］森林劇場
［公演］10 月 2 日（土）18:30- / 3 日（日）14:00-
［原文］ミナ ペルホネン「Letter」より
［上演台本・演出］藤田貴大
［出演］青柳いづみ、召田実子、佐々木美奈、川崎ゆり子
　　　　長江青、田中景子、大夏、夕夏

STAFF

舞台監督	大畑豪次郎　森山香緒梨
照明	南香織（LICHT-ER）
音響	東岳志（山食音）
音響部	能美亮士　西田彩香
映像	宮田真理子
スタイリング	遠藤リカ
衣装製作	武田久美子
衣装貸出・素材提供	ミナ ペルホネン
衣装進行	近藤勇樹　夏目麻有
ヘアメイク	赤間直幸
演出部	船津健太
企画制作	合同会社マームとジプシー

ARTIST

演劇作家・藤田貴大が率いるマームとジプシーとファッション・テキスタイルブランド・ミナ ペルホネンによるコラボレーション。「書を捨てよ町へ出よう」（作：寺山修司、上演台本・演出：藤田貴大 / 東京芸術劇場）での共同作業を経て（2013、2015 年）、東京都現代美術館にて開催された展覧会「ミナ ペルホネン / 皆川明　つづく」の関連企画として「Letter」を発表（2019、2020 年）。

2020　「Letter −Autumn/Winter−」（「ミナ ペルホネン / 皆川明 つづく」関連企画）東京都現代美術館
2019　「Letter −Spring/Summer−」（「ミナ ペルホネン / 皆川明 つづく」関連企画）東京都現代美術館
2013-2015　「書を捨てよ町へ出よう」東京芸術劇場シアターイースト、サントミューゼ、三沢市国際交流教育センター、札幌市教育文化会館、パリ日本文化会館（フェスティバル・ドートンヌ・パリ参加）

対談　藤田貴大×北川フラム

北川フラム：今回の大町では、どうもありがとうございました。あの時の感じというのは、とにかくびっくりして、本当に興奮しました。今思うと、何だかよく分からないけれど色々な言葉や皆さんの動きが重なって、交響曲のような、音楽を聴いているような感じで広がっていって、最後には森の中に消えていったような印象だけがあって。本当に良かったです。今日はあの時の経緯や、そこで思われたこと、やられたことについて、話していただけたらと思います。

藤田貴大：ありがとうございます。

　今回の作品は、2018年頃に皆川明さんにお声がけを頂いて、「つづく」というミナ ペルホネンの展示のなかで公演をしたものが元になっています。ファッションのコレクションのようにSS（春夏）とAW（秋冬）という2つの作品を、展示閉館後のアフターイベントとして発表しました。その直後にコロナ禍に入ってしまって、何かやりたいねとなっていたなかで、この芸術祭に参加するお話を頂きました。

　この作品は、皆川明さんの「letter」という、毎週書いているエッセイが元になっていて、僕はそこから1つもテキストを書き足してないんです。皆川さんはファッションデザイナーの中でもすごく言葉に重きを置いている人だと感じていて、皆川さんが綴る言葉だけを舞台上で扱うことにこだわって作りました。もともとはストーリーもないし、キャラクター設定もないんです。そこに演劇的な文脈はないんですね。僕は空間にそういった皆川さんの言葉を配置していくときに、例えばそれをシーズンで分けたり、この台詞を言うのは狩人だとか、ちょうちょだとか、少し役柄をつけることで、ストーリーめいたものが見えてくるんじゃないかと考えました。

　あと、先ほどフラムさんが仰ったように、音楽性という部分も結構意識しました。皆川さんは色々な音楽を聴かれていて、その中で文章を書いているので、文章も音楽のような、組曲のようになっていく。それが春夏秋冬の壮大なシーズンの移り変わりになっていくというのはすごく意識しました。それがファッションや演劇に繋がっていって、言葉でストーリーが紡がれなくても、音楽の緩急のもっていき方で、そのシーズンを描けるのではないかなと思いました。

　それと、森林劇場という環境に助けられた感じがありました。周りが森だったり、唐突に雨が降ったり。

　そうでしたね。

　実は野外公演はこれまでやったことがなくて、今回が初めてだったんです。だけど実際にあの劇場を見てみるとすごく面白いなと思いました。野外だと雨が降ったら全部中断しなきゃいけないとか、全部の機材に傘を差さなきゃいけないとか、そういう大変さも思い知って、面白かったです。

　普段の稽古場では、雨が降って桜が咲いてといった環境的な要素を音楽や言葉で表現して、役者のイメージの中で立ち上げるみたいなことをやっているんです。だけど、ここに来たら別に大げさに言わなくても、もう実際に森だし、雨が降りそうだし、夜だし。

　普通はストーリーの中での人間関係がどうこうとか、より細かいところに着手していくというのが現代演劇のやり方かと思うんですけど。野外でやってみると、あまりそういうふうに捉えなくてよくて、それらは森羅万象の中のただの一部分でしかない、一つの現象でしかないと感じましたね。それがミナ ペルホネンの描きたいところなのかなとも思ったりしました。

　あとは会場だけじゃなくて、あの町に行った時に不思議なところだなと思いました。

　今は閑散としているけれど、かつてここに沢山の人が来たんだろうなという、人の気配がしたんです。それが時代と共に廃れていって、今はまた自然と溶け込むタイミングになっている。面白かったのが、僕らの公演の次の公演で、劇場自体もなくなるということですね。

　それはありましたね。もう今はないんじゃないかな。もったいないというのはありましたけど。

　そうですね。ステージにキツツキが突いた跡があったり、めちゃくちゃいい感じの、本当にフィクションみたいな野外ステージだったのに。

　僕が好きな「ムーミン」のエピソードで、ムーミン谷に洪水が来て、そこに大きな劇場が流れ着くという話があるんです。

なんかその話みたいな、「なんでここに劇場があるんだろうな」という感じがありました。ここが日本なのか、いつの時代なのか分からなくなるような。あの町一帯もそうなんだけど、何かの磁場になっている感じがして。

偶然ですが、4年前に大町であの劇場を使ったのは、フィンランドのマーリア・ヴィルッカラという女性でした。お芝居ではなく、あそこを舞台として作品を作ったんです。
今の話を聞いて思い出したのですが、瀬戸内（瀬戸内国際芸術祭）で彼女は海の中に家を建てたんです。それはものすごく幻想的で美しかったです。
で、その旦那さんが、フィンランドで放映されてた「ムーミン」のスナフキン役をやっていました。彼女の父も世界的なデザイナーとして有名で、その人に憧れて皆川さんはフィンランドに行ったそうです。

えー！　そうなんですね。そもそも僕らがやった公演の前に、皆川さんがこれまでデザインしてきたこと自体が、この場所にすごく合っていると思いました。日本の長野なんだけど、そうではないような…変な秘境に入ったような。ちょっと他とは違いますよね。

あの辺は山の神が人と出会うような場所の入口、そういう感じがしますね。

僕らが泊まっていた旅館の雰囲気も、長居するようなところじゃなくて、これから登山に行く人や旅に出る人のための宿だったりして。あの町自体が面白いなと思いました。
この場所と関係なしに一生懸命作っていた作品が、ここに来てすごいマッチングだったなと思って。やってみて自分たちが感動したところがあったんです。
あと、それについて今日聞きたかったことがあって。芸術祭では現代美術とか、ダンスというイメージがあると思うんですが、そのなかで演劇はどうなんでしょう？

演劇は芸術祭に合いますし、みんな見たがります。客層がいいんです。芸術祭では演劇を見慣れてる人も来るけど、全然詳しくない人も沢山行きます。そこで面白いと率直な反応が返ってくる、雰囲気がものすごくよくわかるという話は聞きますね。

そういう機会が僕は今まで意外となかったです。札幌の芸術祭で子供達とオーケストラを創ったりしたことはあるんですけど、僕の作品を芸術祭で発表するのは初めてでした。僕らが演劇をやるときって、基本的にはあまり環境を信じちゃダメなところもあるんです。例えば、この作品はツアーに持っていくからどの劇場でもできるようにするとか、この技術ならどこでも再現できるとか。

美術と同じですね。前はホワイトキューブでないとダメだと言われていたけど、今はかなり変わりましたね。

そう。それって先入観でしかないし、結構ちっぽけなことで。森羅万象の中では、結局それはただの人が作ったルールですから。それよりも、一観客として、ここで展示することをこの人は楽しんでいるなとか、ここで表現することをスペシャルに思っているんだろうなというのが見たいわけだから、演劇もどんどん外に出るべきだと思いました。

もう本当に、そういうのを見たいですね。そうするとすごく色々なことが変わっていくし、面白いと思うので、ぜひ何かアイデアがあれば言ってください。最初に皆川さんに、やりたいこととか、誰がいいかと聞いたら、「マームとジプシー」とやりたいんだということをすぐに言ってくれました。今回やっていただいて、本当に良かったと思いますし、嬉しかったです。ありがとうございました。

ありがとうございました。話せて嬉しかったです。

Wada Ei ＋ Nicos Orchest-Lab（Japan）

和田永＋ Nicos Orchest-Lab（日本）

ELECTRONICOS FANTASTICOS! Electromagnetic Forest Theater

ELECTRONICOS FANTASTICOS! 電磁森林劇場

CONCEPT

「エレクトロニコス・ファンタスティコス！」は、アーティスト・ミュージシャンの和田永を中心としたメンバーによって、役割を終えた電化製品を新たな電磁楽器へと蘇生させ、オーケストラを形づくっていくプロジェクト。俗世で使い古された扇風機やタワーファン、エアコンなどの家電が、森の中で風と出会い電磁楽器となって息を吹き返し、妖怪に扮した演者によってユニークな音を奏ではじめる。電磁楽器には、扇風機の回転から生まれる電気信号を拾って音を鳴らす「扇風琴」など、オリジナルの名前が付けられている。

地域の民話ともコラボレーションし、雷や風にまつわる大町の民話「風ふき地蔵」「落ちたカミナリさま」「天にのぼった龍の話」が地元のお母さんたちによって朗読された。また、龍神湖の名前の由来にもなった「犀龍と泉小太郎」で知られる龍神伝説をもとに、オリジナル楽曲「電磁龍」を作曲、演奏した。その土地に暮らす「土の人」と、外から妖怪としてやってきた「風の人」が、暗闇に浮かび上がるサイケデリックなステージで出会い、交錯する。終盤には朗読を披露したお母さんたちに急遽、地元の盆踊りを踊っていただいた。時空が渾然一体となったサイケデリックな演出によって、電磁森林劇場は幕を閉じた。

〈電磁楽器の名前〉
ブラウン管ドラム / テレナンデス / 扇風琴 /
エアコン琴 / テレ線 / 非常カンチキ / バーコーダー

PERFORMANCE

［場所］森林劇場
［公演］11 月 7 日（日）18:00-
［出演］和田永、山本颯之助、川三川三、中康輝
多田愛美、田中啓介、東京電人 1 号 &2 号
サイバーおかんとサイバー小僧、菅沢奎子、丸山令江子

STAFF

音響	葛西敏彦（オアシス）、坂田智和（東京音研）
	大川莉奈（東京音研）
照明	南香織（LICHT-ER）、阿部将之（LICHT-ER）
テクニカル	中隆文、鷲見倫一
制作サポート	村瀬朋桂、住谷美紀
	出沼真由美、吉村理華
和田永マネジメント・制作	高石陽二
プロデュース・制作	清宮陵一

In this project from artist and musician Wada Ei, along with other members, the participants formed an orchestra using electronic devices remade into electronic musical instruments. Items such as fans, televisions, and air conditioners that have long been used in everyday situations were given new life in the forest as original instruments, and their unique music was played by actors dressed as ghosts. In the performance, local mothers participated by reading folk tales about the thunder and wind of Omachi. This story-telling in the local dialect was combined with the performance of the electronic instruments, and in the finale the mothers performed a bon odori dance, creating a show in complete harmony that was performed on just one day.

ARTIST

［和田永］1987 年東京生まれ / 東京在住。2009 年に年代物のオープンリール式テープレコーダーを楽器として演奏するグループ「Open Reel Ensemble」を結成。2015 年より古い家電を楽器化して徐々にオーケストラを形づくるプロジェクト「エレクトロニコス・ファンタスティコス！」を始動させ取り組む。

2019	「Out of the Box」Ars Electronica Festival（リンツ、オーストリア）
2019	六本木アートナイト（東京）
2018	鉄工島 FES（東京）
2018	「ERROR」Ars Electronica Festival（リンツ、オーストリア）
2016	KENPOKU ART 2016 茨城県北芸術祭（茨城）
2015	高松メディアアート祭 vol.1 メディアアート紀元前（香川）

Kushida Kazuyoshi (Japan)

串田和美 (日本)

Moonlight Faust

月夜のファウスト - 独り芝居バージョン -

CONCEPT

2019 年に長野県内を巡演した『月夜のファウスト』を元に、新たに独り芝居として仕立てた作品を公演した。

舞台は大正 6 年に日本初の夏期大学として開設された信濃木崎夏期大学。夏でも冷涼な気候を生かし、毎年夏に自然科学・社会科学・人文科学などのテーマで公開講座を行ってきた。豊かな自然の下で講師と受講者が膝を交えるような学びと懇談の場となっていたが、2020 年は新型コロナウイルス感染症の感染拡大に伴って初の休講となった。今回の公演では夏期大学前の広場に湖畔を背にした芝居小屋が現れ、木の椅子を並べたこの日限りの野外劇場が立ち上がった。

『月夜のファウスト』は、中世の代表的な戯曲『ファウスト』と、串田の幼少期の記憶とがないまぜになって展開される物語。冒頭で観客に話しかけるような軽妙な串田自身の語りが、次第に物語の世界に移り変わっていく。ファウスト博士、悪魔メフィストをはじめとした登場人物の言葉や心情が、1 人の演者によって豊かに表現される。飯塚直とアラン・パットンによる、アコーディオンや笛、パーカッションの演奏が、串田の語りに呼応するようにして作品世界を作り上げた。夕暮れ時に始まった公演が終わる頃には暗闇に変わり、会場は芝居の余韻とひと足早い冬の気配に包まれた。

STAFF

舞台監督　大平久美
照明　　　加藤学、新宅由佳、村上沙織
音響　　　岩澤和生、白石由紀
制作　　　串田明緒、串田十二夜
演出助手　串田十二夜

PERFORMANCE

[場所] 信濃木崎夏期大学
[公演] 10 月 23 日（土）17:00-
[作・演出] 串田和美
[演奏] 飯塚直（コエ、フエ）
　　　　アラン・パットン（アコーディオン）

Reworking the play "Moonlight Faust" that toured around Nagano in 2019, Kushida turned it into a new monologue piece. On a shed-like stage standing against Lake Kizako at dusk, the play mixes the drama "Faust" from the Middle Ages with memories of Kushida's childhood. Beginning with a light-hearted monologue, almost like a conversation with the audience, the play gradually shifts into the world of the story. Speeches and emotions of characters such as Faust, Mephistopheles, and so on, are embodied by the lone actor. The music by Nao Izuka and Alan Patton, its accordion, flute, and percussion seeming to respond to Kushida's story-telling, completes the world of the play.

ARTIST

1942 年東京生まれ / 在住。俳優、演出家。1966 年劇団自由劇場（のちにオンシアター自由劇場と改名）を結成。1985 ～ 96 年シアターコクーン初代芸術監督。2003 年まつもと市民芸術館芸術監督に就任。歌舞伎、サーカス、現代劇を、劇空間ごと既成概念にとらわれない手法でつくりあげている。

2011-2019 「空中キャバレー」演出・美術・出演 / まつもと市民芸術館（長野）
1994-2015 「スカパン」演出・美術・出演 / シアターコクーン、アヴィニョン国際演劇祭、まつもと市民芸術館、シビウ国際演劇祭
2000-2012 「串田戯場 法界坊」演出・美術 / 平成中村座（浅草、大阪、名古屋）、歌舞伎座、リンカーンセンターフェスティバル（ニューヨーク、アメリカ）
1996-2010 「夏祭浪花鑑」演出・美術 / シアターコクーン、平成中村座（浅草、大阪、名古屋）博多、松本、ベルリン、リンカーンセンターフェスティバル、シビウ国際演劇祭（ルーマニア）
1979-2010 「上海バンスキング」演出・美術・出演 / オンシアター自由劇場、博品館劇場、シアターコクーンなど日本全国で上演

北アルプス国際芸術祭 2020-2021 食プロジェクト

　北アルプス山麓に広がる豊かな里山、清冽な水、たっぷりの日差し、標高の高い地域の冷涼な気候、冬の寒さと雪、塩の道を通ってやってきた海の幸と中央の文化、そしてその中で暮らしを紡いできた人々の生きる知恵。こうした信濃大町らしさを感じる食とは何か。風土や歴史を現すその土地の食材や食文化を通して、信濃大町を深く味わってもらうために様々な食プロジェクトが展開された。

　2014 年に開催した芸術祭の前身となる「信濃大町 2014 〜食とアートの廻廊〜」の当時から、期間限定レストランなど食を通じて信濃大町を表現する試みがいくつも行われ、2017 年にアーティスト枠で活躍した YAMANBA ガールズは、お母さんたちが地域に伝わる民話と郷土食でもてなし、好評であった。

　2020 年開催に向けて準備していた食のプロジェクトは 5 つ。2017 年の流れを汲む「地彩レストラン　おこひる公堂」、「信濃大町草木染め隊」、「信濃大町の酒菜（SAKANA）」、「アートマルシェ×カフェ」、「プレミアムダイニング」である。いずれも食を通して大町の魅力を体感してもらうことを目的に準備を進めていたが、開催まで 4 か月余りとなった時点で、新型コロナウイルス感染症の感染拡大が深刻化し、食プロジェクトは企画の見直しを余儀なくされた。

　新しい会期に向けてコロナ対策を含めて企画を練り直す中で、「地彩レストラン　おこひる公堂」と「信濃大町草木染め隊」は大幅な計画変更が必要になった。また、「アートマルシェ×カフェ」と「プレミアムダイニング」は残念ながら取りやめることとなった。一方で、密を避けつつ大町を楽しめる食の形として「信濃大町の食 おいしいプロジェクト実行委員会」主催の「信濃大町　地彩べんとう」が加わり、どのプロジェクトにおいても、コロナ禍で打撃を受けた地元飲食店を盛り立てようという機運が生まれた。

信濃大町草木染め隊

　　市内飲食店等で、会期中に訪れるお客様のおもてなしに活用してもらおうと、市内小中学生約1300人が地域の人たちとともに「草木染め」のランチョンマットやコースターを制作した。「オール大町」で訪れる皆様を歓迎しようという試みである。会期が延長されたためにすべてを使うことはできなかったものの、飲食店に展示されるなどお客様とのコミュニケーションツールに役立てることができた。

地彩レストラン　おこひる公堂

運営受託　（NPO法人）ぐるったネットワーク大町

　街中の由緒ある若一王子神社と、田園風景の中に佇む西山・八王子神社を舞台にした、お母さんたちによるおもてなしプロジェクト。北アルプス国際芸術祭2017でも活躍した地元女衆のユニット「YAMANBAガールズ」のメンバーが中心となって準備を進めてきた。

　当初は木崎湖畔の信濃木崎夏期大学講堂で、お母さんたちが手作りの料理でおもてなしする計画をしており、スタッフの募集には30名を超える地元の皆さんからの申し込みがあった。メニューの考案とレストラン全体の監修は、郷土料理研究家の長嶋勇次氏。お母さんたちが集まって料理講習会を開いていたが、会期を延期することになった。

　新型コロナウイルス感染症の収束が見えない中、季節も会場も変更になって手料理の提供を断念し、最終的に市内の5つのレストランによる特製御膳を提供。神社のお祭りをテーマに、地元食材を使ったハレの料理をお母さんたちが紹介して、来訪者をもてなした。

監修　長嶋勇次
協力　YAMANBAガールズ
若一王子神社、西山・八王子神社
西山神楽保存会、西山自治会
助成　公益財団法人福武財団

若一王子神社　参集殿

　若一王子神社の夏の例大祭には、十騎の流鏑馬と六つの舞台が登場し、町中が祭一色に染まる。由緒ある神社の参集殿という晴れがましい場所をお借りしてのおもてなし。かっぽう着姿のお母さんがお料理の説明に加えて、神社の由緒や夏祭りの様子を語った。

　　10月の御膳　　農園カフェラビット
　　　　　　　　　山麓ファームダイニング健菜樂食 Zen
　　11月の御膳　　割烹桂＆一番鮨

西山・八王子神社

　米どころ常盤地区にある西山・八王子神社では、五穀豊穣を祝う秋祭りが受け継がれている。その社務所にテーブルと椅子を持ち込んで、特設の食事処を設営。鳥居から前宮に獅子頭やお祭の写真を飾り、使われている食材を三方に乗せてご説明、神主や巫女さんも登場し、ゲストは雷鳥の形のお神籤を引いて楽しんだ。

　　10月の御膳　　山麓ファームダイニング健菜樂食 Zen
　　11月の御膳　　仕出し惣菜 はつ花

信濃大町アテプロジェクト
「信濃大町の酒菜（SAKANA）」

　名水あるところに名酒あり。この地の清冽な水で醸したお酒は、この町の自慢だ。伝統ある三つの酒蔵による地酒に加え、近年ブルワリーやワイナリーも誕生し、好みや気分に合わせたお酒を楽しめるようになった。これらのお酒を、是非大町の食と共に味わってもらおうと企画されたのが、このプロジェクトである。大町市出身でテレビでもおなじみの料理研究家横山タカ子さんが、地元の食材である「信州黄金シャモ」と「信州サーモン」を使って、クオリティーを活かした酒菜（肴）を考案。これをもとに、地域の飲食店の皆さんが横山さんのアドバイスのもと、地元の日本酒・ワイン・ビールなどに合わせて、それぞれの店独自のアレンジを加えて提供した。

参加店舗

カラオケスナック 壱幸
和家
らーめん矢
山麓ファームダイニング 健菜樂食 Zen
KASUKE 3rd
串揚げ酒場 花山
Cathy's Cafe & Bar
ねまるちゃテラス
民宿 やまく館
四季彩 葉月
Ｙショップニシ
信州金熊温泉 明日香荘

横山タカ子

長野の郷土食の紹介を行うとともに、NHK『きょうの料理』や信越放送の番組、講演会で「健康と食」についての啓発に努める。また、郷土料理の知恵を生かしたオリジナルの家庭料理や保存食も考案している。トークと人柄にはファンも多く、主婦の知恵を生かした、身近な素材と郷土食を大切にする料理、センスには定評がある。

信濃大町 地彩べんとう

主催：信濃大町の食 おいしいプロジェクト実行委員会

　大町の圧倒的な自然や景色を楽しみながら食事をしてもらおう。密を避けて、食事が提供できるよう、地元食材を使った信濃大町らしいお弁当を作ろう。そんな思いから、食や観光に携わる民間事業者が協力して、2021年の夏会期に合わせて始まったプロジェクト。

　市内飲食店に参加を呼びかけて、7つの店が1種類ずつ、信濃大町らしい特色のある地彩弁当を開発した。これに先立ち、関係者約50人が参加して郷土食材を使った弁当向け料理の試作発表会を行い、アンケート結果をもとに弁当のブラッシュアップに努めた。

　さらに、訪れたお客様が確実に弁当を受け取れること、7店の弁当を一元的に予約・受渡しできることを目指して、キャッシュレス決済が可能なオンラインショップをオープン。フードロスをなくし地元の飲食店に無理をさせないために、予約は3日前（後半2日前）までとし、駅前インフォメーションセンターで受渡しをした。

参加店舗

一番鮨
Indian Nepali Restaurant　SATHI
山麓ファームダイニング 健菜樂食 Zen
仕出し惣菜 はつ花
地鶏直売食堂 花
だいこく食品
農園カフェ ラビット

コロナ禍で中止となった食イベント
プレミアムダイニング

　大町の食材に以前より関心を寄せ、2017年の芸術祭でも地域のレストランを指導いただいた「JINBO MINAMI AOYAMA」の神保佳永シェフと、大町市出身で「銀座エスキス」の総支配人（ソムリエ）若林英司氏がタッグを組み、様々な地元食材を使い、地元産ワイン、地酒など、大町の風土を味わい尽くすプレミアムダイニングを開催する予定であったが、新型コロナウイルス感染症の感染対策を鑑みやむを得ず中止とした。

デザインコンセプト

　　北アルプス国際芸術祭 2020 - 2021 のビジュアルディレクターという役割を、芸術祭総合ディレクターの北川フラム氏からご依頼頂きました。本芸術祭との関わりは 2017 年の第 1 回展にあたりモチーフデザインをさせていただいたことが始まりでした。

　　2020 - 2021 からはロゴ・マークとして使っておりますこのデザインは、大町の自然の豊かさを象徴する "水、木、土、空" をイメージしたものです。水、木、土、空、それらの要素は互いに繋がり合い、ひとつの環境をつくっています。豊かな自然を循環する水が、大気から雨となって土に降り、山々の木々を潤し、湖水となりまた蒸気となって空に上がっていく様子を、ポスターやチラシでは、中綱湖と周囲の山々の写真とその上に描いた水を想起させるドローイングによって表現しました。

　　水の循環は、アートが人々の心を豊かにし、喜びのある暮らしをつくり、多様な社会と自然との共生を生み、アートが創造へ繋がっていくことと重ね合わせることができます。水が空から雨として降る様子は人が思考し、創造したものが芸術という具体的な表現となる事と同じように感じます。そして、その水が土に染み渡り木々を豊かに育てる様子は、芸術を体験する人の感情が、その人の人生を育てる事と重ね合わせることができます。

　　この大町を訪れる人々が豊かで多様性のある自然と暮らしを感じ、11 の国と地域から選ばれた芸術家によるアートとの共存を体験する事によって、自然と芸術が人の暮らしの中で豊かな思考や人生の糧となることの気づきとなればと思います。芸術祭におけるビジュアルは、そのことに寄り添い、喜びの記憶として皆様に残るようなものであることを願って制作いたしました。

ビジュアルディレクター 皆川明

ロゴデザイン

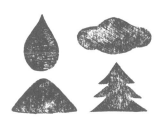

のぼり旗

公式ガイドブック

NORTHERN
ALPS ART
FESTIVAL

北
アルプス
国際芸術祭

2020-2021

北アルプス国際芸術祭 2020-2021 メインビジュアル

オフィシャルグッズ

皆川明ビジュアルディレクター監修のもと、カットソー（半袖、長袖）、手ぬぐい、トートバッグ、タンブラー、クリアファイル、パスポートカバー、マスキングテープ、ピンブローチを公式グッズとして制作・販売した。

芸術祭のプレイベント、および会期中には、ミナ ペルホネンの布を北アルプス国際芸術祭の水、木、土、空を象徴する型で切り抜いて制作するチャームのワークショップなどを行う。また、会期中には期間限定の「北アルプスゲイジュツスイッ」を市内各所で配布した。

ぬり絵プロジェクト

皆川明ビジュアルディレクターが手描きで描いた「水・木・土・空」の4つのアイコンのぬり絵を、延期により掲示できなくなったポスターを再利用した用紙に印刷・配布。コロナ禍におうちで過ごしている時間を自由にぬり絵で楽しんでもらおうと企画した。

北アルプス国際芸術祭 2020-2021

長野県大町市

地勢

長野県の北西部、松本平の北に位置する大町市は「北アルプス一番街」といわれるように、その西部一帯に峻険な北アルプス山岳を連ねています。北は白馬村、東は長野市、小川村、南は池田町、松川村、西は富山県、岐阜県などと接しています。

市域の総面積は564.99㎢で、市街地の標高は700m余り。典型的な内陸性の気候で、寒暖の差が大きく、乾燥した空気が特徴です。夏は日中比較的気温が上昇しますが、朝夕は涼しく、湿度が低いため、しのぎやすい気候です。

北アルプスの山々を映す仁科三湖やダム湖があり、豊富な温泉にも恵まれて、四季を通じて山岳観光都市としての地勢を備えています。

歴史

平安時代の後半、社地域を中心に伊勢神宮の荘園である「仁科御厨（にしなのみくりや）」が置かれ、豪族仁科氏が御厨司として支配を預かっていました。鎌倉時代に入ると仁科氏は、定期的に「市」を開き、市街地の形成を進め、今も五日町、八日町、九日町などの町名がその名残を残しています。また国宝仁科神明宮をはじめ多くの文化財も残っており、古くからこの地域は「仁科の里」と呼ばれています。

江戸時代、松本藩の支配下に入った大町は、松本と日本海を結ぶ「塩の道」の中間地点に位置し、交通要衝の地であったことから日本海側との交流、物流などが盛んに行われていました。このため、街道沿いには、当時の歴史的建物が残されています。

明治維新後は松本県、ついで筑摩県の管理下に入り、明治9年以降は長野県となりました。この間、合併が進み、明治8年には大町村、平村、社村、常盤村となり、その後、大町村は明治15年に大町へと名称変更し、同22年に町制施行しました。さらに、これら1町3村は昭和29年に合併して大町市となり、平成18年1月には隣接する八坂村、美麻村と合併し、現在の大町市となりました。

大町の産業と人口

昭和の初期には市内を南北に貫流する高瀬川を利用した電力と豊富な地下水を求め昭和電工（アルミニウム精錬）と東洋紡（綿紡績）が工場進出し、企業城下町として発展しました。昭和35年頃には黒部ダム建設等により大幅に人口が増加し、昭和40年代後半には、高瀬川の電源開発等によりふたたび人口が増加するとともに、立山黒部アルペンルートの長野県側の玄関口として、年間200万人以上の観光客が訪れる山岳観光都市としてし、商工業ともに活況を呈していました。

しかし、昭和電工は昭和46年のオイルショック、昭和60年のプラザ合意後の円高不況を境に規模縮小となり、一方で最盛期には3千人を擁した東洋紡大町工場は平成12年に閉鎖されました。

これらの基幹産業の衰退等とともに、高速交通網の未整備などの影響もあり、人口流出は続き、最盛期の約3万7千人以上の人口は現在2万6千人程度となり、減少傾向は今も続いています。一方で、田舎暮らし希望者の増加などを背景として、空き家利用やマイホーム助成など定住促進に力を入れており、移住者も着実に増えています。

SDGsへの取組み

2020年、長野県内の他の市町村に先駆けて「SDGs未来都市」に選定されたのを機に、「水が生まれる」信濃おおまちとSDGsの取組みを積極的に推進している企業・団体が中心となり、サスティナブルなモデルタウンを目指す産学官金連携プロジェクト「信濃おおまちみずのわプロジェクト」が発足しました。

北アルプス山麓を起点に豊かな「水」と育んできた暮らし・風土・文化を学び、自然と人とのやさしいコミュニティを育むことで、市民のみなさまとともに100年先を見据えた「まち・ひと・しごとづくり」を実現しています。

コロナ禍での国際芸術祭

　2019 年 12 月、首都圏での企画発表会を皮切りに半年に迫った北アルプス国際芸術祭 2020 は開幕に向け順調に盛り上がりはじめていました。その矢先、世界的に新型コロナウイルス感染症の感染拡大が始まりました。そして 2020 年 3 月 11 日、国内での感染拡大を受け、苦渋の決断ではありましたが、会期未定のまま延期を発表しました。感染状況が日々刻々と変化し続ける中、作品制作などの為にボランティアサポーターや地域住民を集めること、団体向けなど多くの人に食を提供することなど、今まで出来ていたことが出来なくなってしまいました。

　新たな生活様式に対応した芸術祭の開催に向け半年間模索し続け、2020 年 7 月に新たな実施方針を策定し、新会期「2021 年 8 月 21 日〜 10 月 10 日」と新名称「北アルプス国際芸術祭 2020-2021」を発表しました。

　また、新たに「コロナ禍により疲弊した地域経済を活性化させる契機とする」、「地域の活気や元気を取り戻し、持続可能な地域づくりを目指す」を開催目的に加えたほか、芸術祭の企画見直しや新型コロナウイルス感染症対策特別部会を設置し、感染症対策の徹底を最優先事項に掲げ準備を進めてきました。

　開催年である 2021 年 4 月には、3 回目の首都圏を中心とした緊急事態宣言などが発出されるなど、再度会期の延長を検討するなかで、会期を分散し、2021 年 8 月 21 日〜 10 月 3 日をパフォーマンス会期、10 月 2 日〜 11 月 21 日をアート会期として開催することを 6 月に発表しました。

　また、この時点で、アート会期でのアーティストについても、大町へ来訪しないと作品制作が行えないなどの事情から数名のアーティストの参加キャンセルも決定しました。

　その後の 8 月〜 9 月においても、新型コロナウイルス感染症の勢いは止まらず、また、緊急事態宣言も発出されたままの状況であったため、8 月、9 月のパフォーマンスの一部中止を決定するとともに、アート会期内での公演についてもリスケジュールしました。以降、これまでの感染が嘘かのように、感染者が急減し 9 月 30 日に緊急事態宣言、まん延防止等重点措置が解除され、10 月 2 日からようやくアート会期の開幕を迎えることができ、11 月 21 日の会期終了まで、市内はもちろん圏域においても一人の感染者を出すことなく無事閉幕できました。

北アルプス国際芸術祭 2020-2021 の名称

　新型コロナウイルス感染症の感染拡大による延期によって、北アルプス国際芸術祭は単なるアートフェスティバルではなく、人と人をつなぐ地域づくり、人づくりの取組みであると改めて実感しました。コロナ禍でも、これまで積み上げてきた多くの関係者やファンのみなさまとの繋がりや取組みをさらに発展させるべく、2020 年に、翌年 2021 年の芸術祭に向けて新たにスタートを切るという思いを込め、名称を「北アルプス国際芸術祭 2020-2021」設定しました。

芸術祭年表

| 2012年 | 7月 | 「おおまちラボラトリ」の学習会講師として北川フラム氏が大町を訪れる。 |
| | 8月 | 「おおまちラボラトリ」で新潟県十日町市の大地の芸術祭を視察 |

2013年	7月	大町の食や観光のブランドイメージの協創・発信を目的に、 「信濃大町食と観光研究会」がアドバイスを北川フラム氏に要請
	9月	「信濃大町食と観光研究会」が北川フラム氏を講師とした公開学習会を開催
	10月	公開学習会参加者が瀬戸内国際芸術祭を視察
	11月	「信濃大町食と観光研究会」が視察報告会を開催、アートイベントの開催を提案

2014年	2月	信濃大町食とアートの廻廊実行委員会発足
		北川氏を塾長に地域を学び課題を共有しあうための「信濃大町フラム塾」を開講（全5回） 第1回「まちなか・食×アート」〈塾長：北川フラム氏〉　第2回「市民・食×アート」〈塾長：北川フラム氏〉 第3回「北アルプスの成り立ち」〈講師：小坂共栄氏〉　第4回「大町の利水・治水」〈講師：荒井今朝一氏〉 第5回「大町の植生」〈講師：倉科和夫氏〉
		8月9日-24日（16日間）「信濃大町2014　〜食とアートの廻廊〜」開催
	12月	記録集発行
		「食とアートの廻廊報告会」〈北川フラム氏と参加作家によるリレートーク〉

2015年	11月	「信濃大町2014　〜食とアートの廻廊〜」の成功を受け、芸術祭の開催に向けて実行委員会を再編、 大町市を主体に「北アルプス国際芸術祭実行委員会」として発足
		シンポジウム「なぜ国際芸術祭を地方で開催するのか」 〈出演：北川フラム氏、スダーシャン・シェッティ氏、川俣正氏、大町市長牛越徹氏〉
		「塩の道お祭りご膳 in 銀座 NAGANO」にてトークイベント〈出演：北川フラム氏〉
	12月	北川フラム氏講演会

2016年	1月	実行委員会　開催・開催概要を決定、市民討論会開催
	3月	総会・全部会（総務部会、アート部会、広報誘客部会、食部会）開催
	4月	企画運営会議発足
	5月	住民説明会スタート（全33回開催）
		大地の芸術祭（新潟県越後妻有）視察
	6月	作品公募受付開始、作品公募現地見学会開催
		市内小中学校にて「おもてなし小皿プロジェクト」絵付けワークショップ開催
	8月	市内やまびこ祭りにてプレイベント「おもてなし小皿プロジェクト」絵付けワークショップ
	9月	プレイベント「風の大運動会」に向けたワークショップ「風のリレー」（市内各所）
		大町市　庁内連携推進委員会発足

	10月	プレイベント「風の大運動会」〈アートプロジェクト気流部〉（国営アルプスあづみの公園）
		「猿楽祭」ブース出展（代官山ヒルサイドテラス）
		北アルプス山麓 Week in 銀座　大町市フェアに出展（銀座 NAGANO）

2017年	2月	首都圏企画発表会（HATAKE AOYAMA　東京・南青山）
	3月	「ファーレ立川アートミュージアム・デー 2017 春」で、大町市の姉妹都市・立川市とアートを通した交流として、大町市長がシンポジウムでスピーチ。芸術祭のパネル展示や、アートプロジェクト気流部のワークショップとインスタレーションを行う。
		おもてなし小皿展示発表会（大町市内　食プロジェクト）
	4月	企画発表会 in 長野（長野アイビースクエアビル）
		公式ガイドブック発行
		企画発表会 in 松本（松本市美術館）
		50 日前キャンペーン in 扇沢駅　（扇沢駅）
		企画発表会 in 信濃大町（大町公民館分室）
	5月	東京発プレスツアー
		ガイドブック発刊記念トークイベント「アートで世界はひっくりかえるか」 〈出演：北川フラム氏×目【め】〉（ジュンク堂書店池袋本店）
		ガイドブック発刊記念トークイベント 「アートフェスティバルの楽しみ方―今、なぜ『芸術祭』なのか―北アルプス国際芸術祭の場合」 〈出演：岩渕貞哉氏（美術手帖編集長）、東浩紀氏（哲学者）、北川フラム氏〉（銀座蔦屋書店）
		北アルプス国際芸術祭サポーター説明会 in 東京（代官山ヒルサイドテラス）

6月4日-7月30日(57 日間)　北アルプス国際芸術祭 2017 ～信濃大町 食とアートの廻廊～　開催

2018年	2月1日	北アルプス国際芸術祭 2017　記録集発行
	2月11日	ボランティアサポーター新年会開催
	5月19日	バンブーウェーブお別れ会、ワークショップ開催
	5月24日	北アルプス国際芸術祭基本計画策定検討会議開催（計 5 回）
	7 月、8 月	信濃大町実景舎 期間限定公開

9月1日-10月28日　プレイベント 2018 秋　開催
9月22日-10月28日　北アルプス気流部の家　ワークショップ開催

	10月13日	アーティスト＆ボランティアサポーター交流会
	12月1日、2 日	ヒカリのキリュウダマ !! In 国営アルプスあづみの公園　開催

2019年	5月20日	北アルプス国際芸術祭 2020 開催・開催概要を決定
	6月3日	作品公募受付開始
	6月15日	作品公募現地見学会開催
	7月17日	おもてなしプロジェクト「信濃大町草木染め」ワークショップ開催（計 12 回）
	9月7日	大町市三蔵飲み歩きイベントに食プロジェクト出展

2019年	9月26日	ビジュアルディレクターに皆川明氏が就任、メインビジュアル・ロゴの発表、第1弾参加アーティスト発表
	10月	瀬戸内国際芸術祭2019サポーター研修
	10月13日-14日	「猿楽祭」ブース出展（代官山ヒルサイドテラス）
	11月5日-10日	第2回中国輸入博覧会共同出展（上海）
	11月8日-13日	台湾サポーター・ファンイベント開催（台北、台中、高雄）
	11月22日	作品鑑賞パスポート前売り引換券発売開始
	11月23日	オフィシャルガイド養成研修会開催（計6回）
	12月3日	首都圏企画発表会（銀座蔦屋書店）
		北アルプス国際芸術祭サポーターイベント（銀座蔦屋書店）
	12月11日	神保佳永シェフによる白馬高校国際観光科での講義

2020年		―1月15日　新型コロナウイルス感染症について国内初で感染者を確認―
	1月16日	公式レストラン「おこひる公堂」のための料理講習会開催（計2回）
		―1月31日　新型コロナウイルス感染症についてWHOが緊急事態を宣言―
	2月5日	企画発表会 in 長野（長野県庁）
	2月11日	プレイベント in 大町（市内あめ市特設会場）
	2月22日	プレイベント in 松本（信毎メディアガーデン）開幕100日前記念トークイベント開催〈出演：北川フラム氏、皆川明氏、串田和美氏、村井美樹氏〉
	3月10日	新型コロナウイルス感染症感染拡大の影響により、臨時総会書面決議にて北アルプス国際芸術祭2020の延期を決定
		―日本政府が新型コロナウイルス感染症に係る事態を「歴史的緊急事態」に初指定―
	3月11日	北アルプス国際芸術祭2020延期発表（会期未定）
		―新型コロナウイルスの感染状況が日々刻々と変化、芸術祭の活動もストップ―
		―4月16日-5月25日　長野県を含む全都道府県に新型コロナウイルスに対する緊急事態宣言―
	7月27日	総会にて北アルプス国際芸術祭開催の新たな実施方針を決定
	8月21日	臨時総会にて新会期「2021年8月21日〜10月10日」、新名称「北アルプス国際芸術祭2020-2021」を決定
	8月25日	新会期・新名称を発表

2021年	1月8日	「水・木・土・空」ぬり絵プロジェクト開始
		―1月8日-3月21日　2回目の緊急事態宣言（首都圏等）―
		―1月14日　外国人の日本への入国全面停止―
	3月10日	北アルプス国際芸術祭新型コロナウイルス感染症対策特別部会開催（計5回）
		―4月25日-6月20日　3回目の緊急事態宣言（首都圏等）―
	5月6日	北アルプス国際芸術祭2020-2021企画発表会LIVE配信（大町市・旧大町北高等学校内）
	5月15日	作品鑑賞パスポート販売開始

5月15日-30日　北アルプス国際芸術祭2020-2021 プレイベント・先行公開展開催（6日間）

6月25日	臨時総会にて会期の延長を決定 「パフォーマンス会期：8月21日〜10月3日、アート会期：10月2日〜11月21日」
6月29日	会期延長を発表

― 7月12日-9月30日　4回目の緊急事態宣言の発出（首都圏等）―

8月7日	ガイドブック発売、首都圏等書店フェア開催、オフィシャルグッズ販売開始
8月18日	パフォーマンスの一部公演の中止発表

> パフォーマンス会期：8月21日〜10月3日、アート会期：10月2日〜11月21日
> 北アルプス国際芸術祭 2020-2021

8月23日〜	子どものためのアート鑑賞会開催（市内小中学校）
9月6日	パフォーマンスの一部公演の延期発表
9月24日	セントラルショップ兼運営本部のオープン
10月2日	北アルプス国際芸術祭 2020-2021　アート会期オープニングツアー
10月29日	「北アルプス国際芸術祭」商標登録
11月21日	北アルプス国際芸術祭 2020-2021　閉幕

中止となったパフォーマンスイベント

藤巻亮太 RYOTA FUJIMAKI「SPECIAL LIVE in 北アルプス国際芸術祭 2020 - 2021」

［場所］　国営アルプスあづみの公園 大町・松川地区
［公演］　9月11日（土）17：30- ※中止
［出演］　藤巻亮太

レミオロメンでのバンド活動や数多くのヒット曲の発表を経て精力的にソロ活動を行うミュージシャン・藤巻亮太が、安曇野で開催を予定していた野外ライブ。藤巻は地元・山梨県で野外音楽フェス「Mt.FUJIMAKI」（マウント・フジマキ）を主催するなど、山や自然への関わりが深い。北アルプスの豊かな自然のもとでのライブは叶わなかったが、実際に大町を訪れて制作した新曲「まほろば」を9月11日に配信リリースし、北アルプスの自然の中で撮影されたミュージックビデオが公開された。

「白秋 / 赤鳥」
倉迫康史（たちかわ創造舎）Koji Kurasako　Tachikawa Culture Factory

［場所］　大町温泉郷・森林劇場
［公演］　8月28日（土）、29日（日）17：30-　※中止
［構成・演出］　倉迫康史
［出演］　平佐喜子（Theatre Ort）

『この道』『ゆりかごの歌』『待ちぼうけ』『赤い鳥』など多くの童謡を、児童雑誌『赤い鳥』で次々と発表した北原白秋。白秋の歌は、子どもの感性をみずみずしい言葉で表現した新たな芸術として関東大震災後の社会に受け入れられていくが、知名度が高まっていくとともにそれらは戦争翼賛の歌へと変化していく。
東京都立川市の廃校活用施設「たちかわ創造舎」ディレクターである倉迫康史が構成・演出を手がけ、赤い鳥から日の丸へと変貌していく白秋の言葉の軌跡を、森林に木霊させようと試みた。コロナ禍で集まることが厳しい中で、大町市の少年少女合唱団に動画でメッセージを送り、作中で使用する童謡の合唱協力を得るなど、直前まで公演に向けた準備が進められた。

連携事業

信濃大町あさひ AIR

　あさひ AIR（あさひアーティスト・イン・レジデンス）は、長野県大町市の創造的な活動を応援する小さな拠点として、昭和 46 年に建てられた旧旭町教員住宅 6 棟をリノベーションしました。

　4 棟の滞在棟と、制作棟、交流棟からなる施設は、国内外のアーティストを受け入れる滞在拠点であると同時に、大町市の芸術文化の発信拠点として、次世代を切り開く創造性を支え、地域のあらたな可能性を応援します。毎年開催されるアーティスト・イン・レジデンスプログラムでは、国内外のアーティストを大町市に招へいし、北アルプス山麓での生活や地域の人たちとの交流によるアーティストの滞在制作を支援しています。

　3 年に 1 度のお祭りである北アルプス国際芸術祭と対をなす形で、毎年アーティストが信濃大町に出会い、地域の新たな創造力を育む場を目指しています。

美術館連携

　長野県内の美術館と連携し、北アルプス国際芸術祭の来場者に大町市以外の見所（スポット）も楽しんでいただき、芸術に関心の高い人はもとより芸術祭に来場される多くの方々にも芸術祭と周辺美術館でアートを堪能していただけるように互いに協力し合う誘客に努めました。

- 安曇野ちひろ美術館
- 北アルプス展望美術館（池田町立美術館）
- 安曇野山岳美術館・安曇野市豊科近代美術館
- 安曇野高橋節郎記念美術館・田淵行男記念館
- 白馬三枝美術館
- まつもと市民芸術館
- 長野県立美術館・北野美術館
- セゾン現代美術館
- 小さな美術館 軽井沢草花館
- 信州高遠美術館
- 古陶磁コレクション「了庵」

パートナーシップ事業

　北アルプス山麓の地域で実施される地元食材の活用など "食" を主体としたイベント等又は 美術、音楽、建築、演劇、舞踊、"伝統芸能" など文化芸能を主体としたイベント等について、パートナーシップ事業として位置づけ、地域住民の自主的な芸術文化活動の促進と振興を図り、双方の事業の盛り上げにつなげる取り組みをしました。

- 信濃大町スイーツプロジェクト
- 相澤正樹　陶芸の世界
- 彫刻家服部八美作品展及び地元食材によるおもてなし
- 大町おもてなし SHOP
- みんなでつくるモザイクアート
- 大町市・白馬村・小谷村の「食」をお得に楽しもう！
- ドス・デル・フィドル with LEO ピアノ：山中惇史

- コットンサロン　〜しあわせの種プロジェクト〜
- セイジ・オザワ　スクリーンコンサート
- 梯剛之ピアノコンチェルト in 北アルプス
- 美術展ベストセレクション in 信濃大町
- マウンテンリゾートで新たなアートの楽しみ方を発見
- 北安曇野池田町古民家の建築美と空間
- 大町グランドマルシェ
- 大町市中心市街地にぎわい社会実験
- ドボクアート砂防ダム巡りバスツアー
- HAKUBA　ゼロカーボンモビリティツアー
- 筑波大学生と長野県立大町岳陽高校 1 年生とのオンライン鑑賞ワークショップ
- 筑波大学院生と大町市立第一中学校 3 年生とのオンライン鑑賞ワークショップ

　下川晋平氏には、北アルプス国際芸術祭公式カメラマンとして、芸術祭準備段階から撮影して頂きました。芸術祭 2020 - 2021 の水・木・土・空のコンセプトビジュアルとなった下川氏の写真（本誌 2,4,56,66,70,164,176,190p 掲載）には、大町市の豊かな自然を照らす美しい光が写っています。そこには、2020 年にニコンサロンにて開催された下川 晋平 写真展「Neon Calligraphy」を発表した際、下川氏が写真を〝photo〟「光」〝graph〟「描かれたもの」として捉えたこととも通じる、地域の文化を照らす光への想いが込められているのかもしれません。

　2021 年 6 月に芸術祭作品の制作風景を撮影した後、2021 年 7 月に入院。中東を含め世界各国から訪れる芸術祭参加作家との出会いを楽しみにして頂いていましたが、2021 年 9 月 26 日に享年 34 歳で永眠されました。ご生前のご活躍に深く感謝し、故人のご功績を偲んで、心からご冥福をお祈り申し上げます。

下川晋平：砂漠と「北」を主なフィールドとする写真家。長野県大町市生まれ。
大学時代に神学・美学・哲学を学び、アジア、中東地域へのフィールドワークを重ねる。言語学やナラトロジーを軸に、世界の言語や物語を収集する。ことばとイメージの往還や、様々な土地の物語をテーマに写真作品を制作し、近年では従来のオリエンタリズム的な表象から逃れる「中東」の〈光−イメージ〉を探求していた。

データでみる北アルプス国際芸術祭 2020-2021

新型コロナウイルス感染症の感染拡大の影響により約1年半の延期を経て開催した今回は、アート会期直前の緊急事態宣言の解除や秋の紅葉シーズンと重なり、多くの方々にお越しいただいた。来場者アンケート調査によると、前回同様20〜50代の女性が多く来場していた。来場者を居住地別にみると、コロナ禍で越県が難しい状況であった為、首都圏を中心に「長野県外」の来場者が30.5%と前回と比較して大きく減少した一方、広報活動の重点を長野県内にシフトした結果、「長野県内（大町市除く）」からの来場者が46.0%となった。

今回来場した県内居住者（大町市民を除く）の42.3%、県外居住者の32.1%が前回の北アルプス国際芸術祭2017へも来訪したリピーターでもあった。こうした来場者は、前回の芸術祭にて高い満足感を得て、大町市の魅力を感じたことで今回の再訪につながったものと考えられる。今回の芸術祭における満足度をみてみると、「とても満足した」「満足した」「やや満足した」を合わせた前向きな回答が89.5%と高い結果となった。

さらに、新型コロナウイルス感染症対策に対する印象について、「十分であった」「まあ十分であった」を合わせ94.5%の方に評価をいただいた。

今回の芸術祭への来場者が感じた大町の魅力や再訪の意向を、今後このままの再訪へとつなげていくためには、芸術祭の会期後においても様々な活動を途切れさせず、継続的に大町の魅力を発信し続け、一過性で終わらせない持続的な取組みが次回へとつながっていくといえる。

来場者数

33,892 人

※新型コロナウイルス感染症対策として、来場者のみなさんには入場の際、一日一回インフォメーションもしくはアートサイトでの検温と健康チェックシートの提出をお願いした。この健康チェックシートによる毎日の人数の合計を来場者数として集計している。

来場客の構成

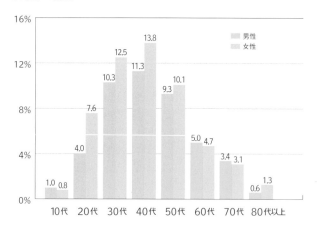

来場客の移住地

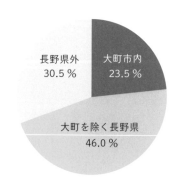

来場者の声

こんなに素敵な場所があったんだと芸術祭を通じて知ることができました。

芸術祭期間中だけでなく他の時期も来たいと思いました。

楽しい作品と一緒に大町の自然を満きつできました。

作品楽しすぎでずっといられます。時間が足りないー！！

自然と一体になったみたい！

紅葉の頃に来れたので、作品と同時に風景も楽しめて良かった。

自然の美しさ、それを引きたてるアートとして人の限界。

空気も水も全てがサイコーです！

北アルプス国際芸術祭の満足度

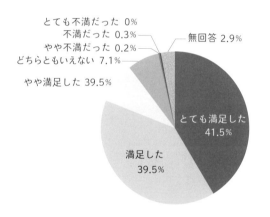

- とても不満だった　0%
- 不満だった　0.3%
- やや不満だった　0.2%
- どちらともいえない　7.1%
- やや満足した　39.5%
- 無回答　2.9%
- とても満足した　41.5%
- 満足した　39.5%

新型コロナウイルス対策の印象

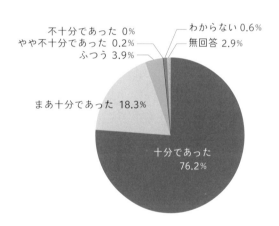

- 不十分であった　0%
- やや不十分であった　0.2%
- ふつう　3.9%
- わからない　0.6%
- 無回答　2.9%
- まあ十分であった　18.3%
- 十分であった　76.2%

北アルプス国際芸術祭の情報入手経路

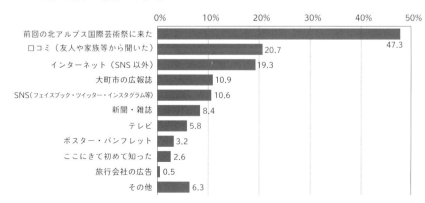

情報入手経路	%
前回の北アルプス国際芸術祭に来た	47.3
口コミ（友人や家族等から聞いた）	20.7
インターネット（SNS 以外）	19.3
大町市の広報誌	10.9
SNS(フェイスブック・ツイッター・インスタグラム等)	10.6
新聞・雑誌	8.4
テレビ	5.8
ポスター・パンフレット	3.2
ここにきて初めて知った	2.6
旅行会社の広告	0.5
その他	6.3

データでみる北アルプス国際芸術祭 2020-2021

■二次交通
市内 3 交通事業者は、観光庁の既存拠点再生事業の助成を受け、作品と観光スポットをつなぎ、市全域の魅力を余す事なく PR することを目的に、ダム・仁科三湖・東山コースを周遊するバスを、芸術祭会期に合わせ運行した。

① ダムコース　　　　[運行本数] 平日＝ 24 本、土日祝日＝ 34 本　[利用者数] 1,396 人
② 仁科三湖コース　　[運行本数] 平日＝ 22 本、土日祝日＝ 34 本　[利用者数] 1,244 人
③ 東山コース　　　　[運行本数] 平日＝ 22 本、土日祝日＝ 34 本　[利用者数] 1,704 人

■参加ボランティアサポーター・スタッフ参加人数
　延べ 2,776 人

■サポーターの声
　コロナもあって大勢で制作はできなかったですが、作品制作に関わることができてうれしかったです。
　みんなで力を合わせて無事開催までに間に合うことができてよかったです。
　来場されるみなさんと色々な話をすることができ、また作品を鑑賞後に笑顔で帰っていかれる姿を見るととても嬉しく感じました。

■長野県内における経済波及効果の推計結果

北アルプス国際芸術祭 2020-2021 がもたらした県内における経済波及効果額は 4.0 億円となった。

① 観光消費総額　3.1 億円

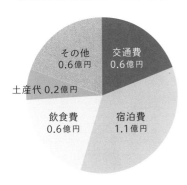

② 直接効果額 [県内生産額]2.8 億円（① - 県外生産額）
③ 一次生産誘発額 1.2 億円

経済波及効果額（②＋③）4.0 億円

■全体事業費（2018 年度〜 2021 年度）

収入　約 3 億 1 千万円

（内訳：国・県補助等 9 千万円、一般財源 4 千万円、基金・寄附金等 1 億円、パスポート・グッズ販売・協賛金等事業収入 8 千万円）

支出　約 3 億 1 千万円

チケット販売実績

　作品鑑賞パスポート販売数　12,842 枚
　アートサイト個別鑑賞券　14,400 枚
　アートサイト再入場券　　 1,082 枚

作品鑑賞パスポート

　一般（前売）2,000 円／（当日）3,000 円
　16 〜 18 歳（前売）1,000 円／（当日）1,500 円
　15 歳以下　無料
　15 歳以下の方には、「KIDS パスポート」（スタンプラリー用台紙）を配布。
　個別鑑賞券 300 円／再入場券 200 円

※旧大町北高等学校のみ個別鑑賞券 600 円／再入場 400 円

■広報実績 [主な掲載メディア]

新　聞	大糸タイムス、信濃毎日新聞、中日新聞、朝日新聞、読売新聞、毎日新聞、日本経済新聞、MG プレス など
雑　誌	Oz magazine、装苑、エル・ジャポン、美術屋・百兵衛、美術の窓、るるぶ信州、Hanako、まっぷる、旅の手帖、ジパング倶楽部、料理王国、KURA、地域創造レター、週刊旅寄（台湾）、u magazine（香港）など
テレビ	NHK 教育「日曜美術館アートシーン」、MXTV「Wow!Ho!TV」をはじめ、長野県内のテレビ局各社による番組コーナーでの収録や生中継などが行われた。また 9 月下旬から、長野県内民放 4 社での CM 放映での告知も行った。
ラジオ	J-WAVE、JFN、NHK ラジオ第一、FM 長野「Oasis79.7」、SBC ラジオ など
ウェブ	Casa Brutus Online、Oz mall、Numero、One story、SPUR.jp、Fashionsnap.com、Tokyo Art Beat、ソトコト、TimeOut 東京、ELLEDECO、ASC Ⅱ、ウォーカープラス、たびこれふ、モダンリビング、インテリア情報サイト、JDN、朝日新聞デジタル、Universes in Universe、BIENNIAL FOUNDATION、中華民國文化部、歩歩日本、WONDER 覺誌、Beautimode _LA VIE 行動家、頭條日報、China Culture Daily、香港 01 など

インスタグラムアカウントフォロワー数　　5,672
Facebook アカウント「いいね！」数　　12,426
ツイッターアカウントフォロワー数　　　1,048

公式ウェブサイト ページビュー数

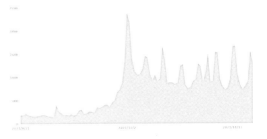

助成

公益財団法人 福武財団

JAPAN CULTURAL EXPO

令和3年度文化資源活用推進事業

文化庁
Agency for Cultural Affairs,
Government of Japan

公益財団法人
朝日新聞文化財団

NOMURA 野村財団

パートナー

　marukome　SUNTORY

協賛

　　　TESCO

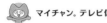　

JTB 中誘協信州地区会｜水 ing AM 株式会社｜株式会社ドコモ CS｜株式会社長野銀行｜日本電気株式会社

株式会社八十二銀行｜株式会社フジクラ｜松本信用金庫｜株式会社マルマツ｜ルートインジャパン株式会社

アルプスあづみの公園マネジメント共同体｜飯島建設株式会社｜大塚製薬株式会社｜金森建設株式会社｜クボタ環境サービス 株式会社

株式会社 CHORD｜サスナカ通信工業株式会社｜昇龍株式会社｜大北リサイクル事業協同組合｜株式会社トロンマネージメント｜長野県信用組合

長野県労働金庫｜日本クリーンアセス株式会社｜東日本電信電話株式会社｜株式会社守谷商会｜NEC ネッツエスアイ株式会社｜セコム上信越株式会社

北アルプス国際芸術祭 2020-2021 記録集

発行日　　　2022 年 7 月 1 日発行
定　価　　　2,500 円＋税

発　行　　　北アルプス国際芸術祭実行委員会
　　　　　　北アルプス国際芸術祭実行委員会事務局
　　　　　　〒 398-8601 長野県大町市大町 3887 番地

監　修　　　北川フラム

企画編集　　佐藤壮生（裸足出版）
編集協力　　野村翠（株式会社アートフロントギャラリー）
表紙デザイン　皆川明
写真　　　　下川晋平、栗田萌瑛、本郷毅史
執筆協力　　水久保節、鈴木幸佳
DTP　　　　山猫屋
翻訳　　　　ギレットサイモン、ギレット麻由子

印刷　　　　藤原印刷株式会社
発売　　　　現代企画室
　　　　　　〒 150-0033
　　　　　　東京都渋谷区猿楽町 29-18 ヒルサイドテラス A 棟 8 号
　　　　　　TEL：03-3461-5082 FAX：03-3461-5083
　　　　　　http://www.jca.apc.org/gendai/

Northern Alps Art Festival 2020-2021 Archives

Date of publication: July 1st 2022
Price: ¥2500 + tax

Published by the Northern Alps Art Festival Executive Committee
Address: 3887 Omachi, Omachi City, Nagano Pref, 398-8610, Japan

Supervised by Kitagawa Fram

Art Direction: Sato Sosei
Cover Design: Minagawa Akira
Photography: Shimokawa Shimpei, Hongo Tsuyoshi, Kurita Moe
DTP: Yamanekoya
Translation: Simon and Mayuko Gillett
Editing: Nomura Midori, Mizukubo Misao, Suzuki Yukika

Printed by Fujiwara Printing Co. Ltd
Sold by Gendaikikakushitsu Publishers
Address: Hillside Terrace A, 29-18 Sarugaku-cho, Shibuya-ku, Tokyo, 150-0033, Japan
Tel:+81-3-3461-5082 Fax:+81-3-3461-5083 www.jca.apc.org./gendai/

ISBN978-4-7738-2205-2
C0070 ¥2500E

Printed in Japan